MONTRÉAL

LE GUIDE POUR LES ENFANTS ET LES PARENTS

Un voyage réalisé grâce à
Hélène, Myrna, Marie-Laurence, Serge et Renato

Itak éditions adresse ses sincères remerciements à tous les responsables des différentes activités présentées dans ce guide (musées, parcs, maisons, zoos…).

Les erreurs ou oublis involontaires qui auraient pu subsister dans ce guide, malgré le soin de notre équipe éditoriale, ne sauraient engager la responsabilité de l'éditeur.

Au sommaire

MONTRÉAL

Salut ! Je m'appelle Itak !

Avec mille pattes, je cours plus vite que mon copain Ulysse. Toujours le premier à découvrir les activités à faire en famille. Bon séjour…

Comment utiliser ton guide

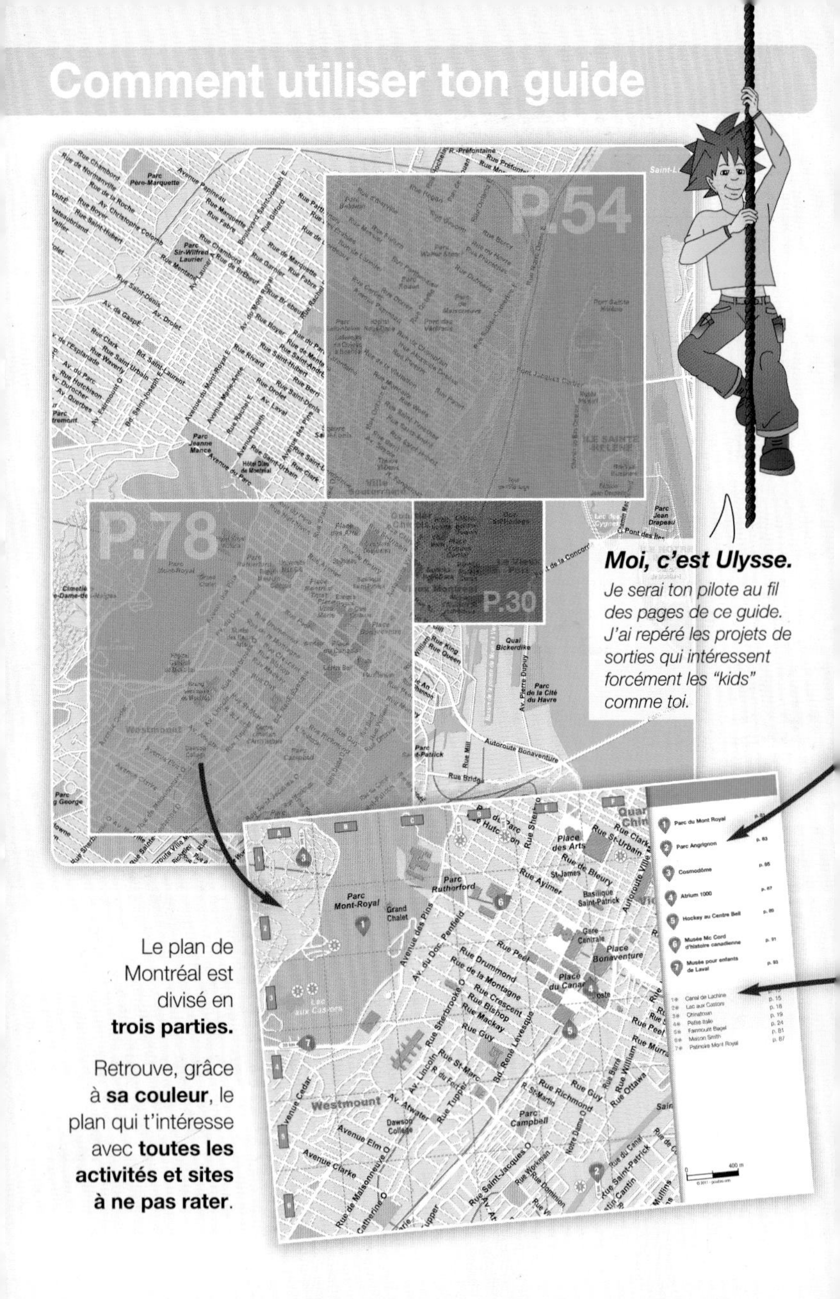

Moi, c'est Ulysse.

Je serai ton pilote au fil des pages de ce guide. J'ai repéré les projets de sorties qui intéressent forcément les "kids" comme toi.

Le plan de Montréal est divisé en **trois parties.**

Retrouve, grâce à **sa couleur**, le plan qui t'intéresse avec **toutes les activités et sites à ne pas rater**.

QUAND PARTIR ?

Montréal présente un **climat continental humide à forte amplitude thermique**. La ville est marquée par de gros écarts saisonniers de température. **L'été indien et l'hiver**, malgré le froid, sont les meilleures périodes pour découvrir tous les charmes de Montréal.

DANS TA VALISE

L'été, n'oublie surtout pas une casquette car il peut faire très chaud. En mars et avril, il ne faut pas oublier une bonne paire de bottes, car le dégel transforme souvent les villes en une vaste étendue de *sloche*, une gadoue de neige fondue. Si tu fais des excursions sur le fleuve Saint-Laurent, **le coupe-vent** est indispensable. En hiver, les vêtements chauds sont obligatoires car le froid peut être glacial.

SE RENDRE À MONTRÉAL

L'aéroport Montréal-Trudeau accueille des millions de touristes tous les ans. Un service de navette, "L"Aérobus", relie l'aéroport au centre-ville.

Papiers d'identité

Il n'y a pas besoin de visa pour un séjour de moins de 3 mois au Canada. Mais, avant de partir, c'est toujours mieux de consulter le site de l'ambassade.

Décalage horaire

6 heures de moins par rapport à Paris (12 heures à Montréal = 18 heures à Paris).

Monnaie

Début 2012, 1 dollar canadien valait environ 0,78 €. Autrement dit 1 € = 1,30 dollar canadien. Mais le change varie, donc renseigne-toi bien avant de partir.

Indicatifs téléphoniques

Si tu veux donner de tes nouvelles en France, il faut composer l'indicatif 0033, puis les 9 chiffres du numéro (en supprimant le "0" du début).

Prise de courant

Les prises de courant sont différentes aux Canada. Si tu emmènes un appareil électrique, tu auras donc besoin d'**un adaptateur**.

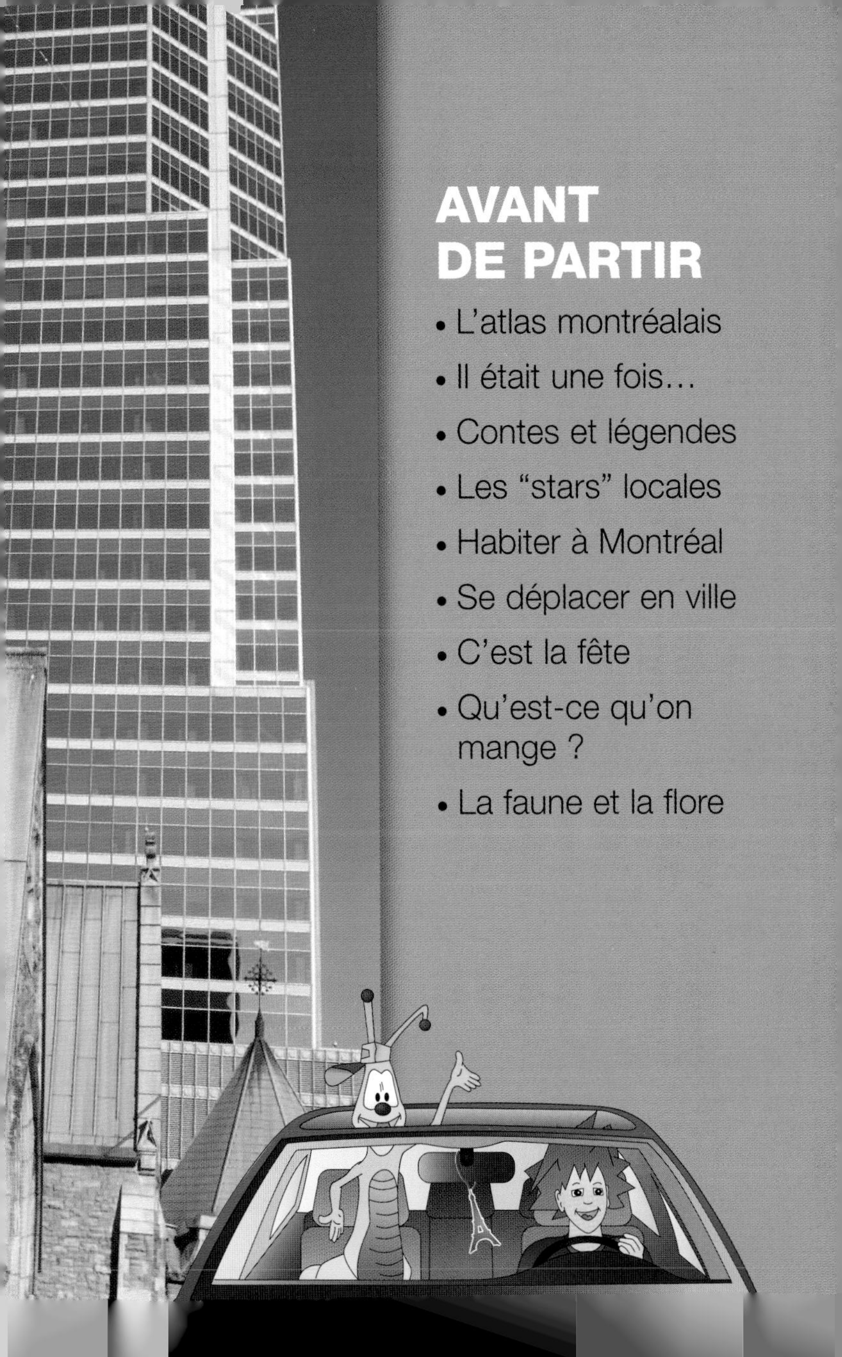

AVANT DE PARTIR

- L'atlas montréalais
- Il était une fois…
- Contes et légendes
- Les "stars" locales
- Habiter à Montréal
- Se déplacer en ville
- C'est la fête
- Qu'est-ce qu'on mange ?
- La faune et la flore

L'atlas montréalais

Connue dans le monde entier, la ville de Montréal, seule métropole francophone en Amérique du Nord, est située à proximité de l'Ontario et des États-Unis. Par la richesse de son histoire, ses monuments, ses quartiers et sa position géographique, la cité québécoise est **l'une des villes les plus attirantes au monde**.

Entre eau et montagne
Une situation unique

Un quart des Québécois vit à Montréal, la capitale politique, commerciale, industrielle, intellectuelle et aussi culturelle du Québec. La ville se situe au sud-est du Canada, dans **l'archipel de Hochelaga**, un groupe de 234 îles. La plus grande de ces îles fluviales, l'île de Montréal, a une superficie de 482 km² et mesure 50 km de longueur. Sa forme fait penser à **un boomerang**. C'est à cet endroit que les colons se sont installés. Montréal est donc bordée par le célèbre fleuve Saint-Laurent, qui coule des Grands Lacs jusqu'à l'océan Atlantique. Actuellement le fleuve, qui a un débit de 10 000 m³ par seconde, est navigable toute l'année jusqu'à Montréal. Le point culminant de la ville, nommé "Mont Royal" par Jacques Cartier, se situe à 234 mètres. On dit à tort que c'est un ancien volcan. Le nom Montréal provient d'ailleurs de *Mons realis*, c'est-à-dire "mont royal" en latin. **La ville occupe le centre de l'île et déborde sur quelques petites îles voisines**, notamment l'île des Sœurs, l'île Notre-Dame, l'île Sainte-Hélène et l'île Bizard.

L'Ontario, situé dans le centre-est du pays, est la plus peuplée des provinces du Canada. Toronto, qui est la plus grande ville du Canada, est sa capitale.

Montréal, qui se trouve à la frontière avec les États-Unis, est située dans la région la plus peuplée du Canada qu'on appelle **le "Corridor Québec-Windsor"**. Il s'agit d'une région de plaines fertiles correspondant aux basses terres du Saint-Laurent et des Grands Lacs. Depuis 20 ans, dix États américains et provinces canadiennes sont regroupés autour de la **"Charte des Grands Lacs et du fleuve Saint-Laurent"** pour une gestion durable des eaux.

Si le bois des forêts a été utilisé pour la construction au début de la colonisation, **la pierre et surtout la brique** ont pris la relève pour les bâtiments publics et privés. La brique était traditionnellement éclairée par des moulures, des encadrements ou même des colonnes peintes en blanc, à la manière anglaise… La tuile était le matériau utilisé le plus courant pour les toitures. Quant à la pierre, **un calcaire gris**, il provient du Mont Royal mais aussi d'autres carrières de l'île.

La ville de Montréal est la seconde métropole francophone, après Paris.

Le climat montréalais

Montréal bénéficie d'un climat continental humide. Les moyennes vont de -10°C en janvier à +21°C en juillet. Les extrêmes absolus enregistrés au 20e siècle sont -37°C et +37°C. En toute saison le temps peut changer rapidement. L'été est chaud mais aussi humide, ce qui peut rendre la chaleur écrasante en juillet. Il est ainsi fréquent d'avoir 30°C. À noter que l'été est court et qu'il n'est pas rare d'avoir dès la fin du mois d'août l'impression que l'automne arrive. Les hivers sont rigoureux, même si la ville est la moins "glaciale" du Canada. Le vent presque constant accentue la sensation de froid. Enfin, les précipitations sont importantes et il neige de début décembre à la mi-avril. Les hauteurs de neige cumulée dépassent les deux mètres.

Il était une fois...

Les Jeux olympiques

Les Jeux olympiques d'été de 1976 ont eu lieu du 17 juillet au 1er août. La tour du stade ne fut pas terminée à temps pour les Jeux. 28 pays africains décidèrent de les boycotter pour protester contre la présence de la Nouvelle-Zélande qui avait envoyé son équipe de rugby en tournée en Afrique du Sud, pays de l'apartheid. L'héroïne de ces jeux fut la gymnaste roumaine Nadia Comaneci.

Même si la présence de l'homme près du fleuve Saint-Laurent remonterait au 4e millénaire av. J.-C., les plus anciennes traces d'une présence humaine sur l'île de Montréal ne datent que de **quelques siècles avant l'arrivée des premiers explorateurs européens** au 16e siècle.

D'Hochelaga à Montréal
Une riche histoire

Le 2 octobre 1535, selon le récit de son deuxième voyage en Amérique, Jacques Cartier, navigateur et explorateur originaire de Saint-Malo, remonte le fleuve Saint-Laurent jusqu'aux rapides de Lachine qui lui barrent la route. Ce marin français est considéré comme le premier Européen à avoir exploré l'île de Montréal. Il nomme "Mont Royal" une colline située près d'**un village iroquois appelé Hochelaga**. Le village ne compte alors que 1 500 habitants. Le nom d'Hochelaga servira aussi à désigner l'archipel auquel appartient l'île de Montréal. Environ 70 ans plus tard, **Samuel de Champlain** explore le fleuve à son tour. Les Iroquois n'occupent déjà plus l'île de Montréal et les rives du Saint-Laurent. Hochelaga, le village décrit par Jacques Cartier, a disparu. Le

Navigateur, cartographe, soldat, explorateur, géographe, commandant, chroniqueur... le Français Samuel de Champlain était surnommé le "Père de la Nouvelle-France".

Le Québec

De 1534 à 1763, le Québec a été, sous le nom de "Canada", la région la plus développée de la colonie française de la Nouvelle-France. Suite à la guerre de Sept ans, le Québec devient une colonie britannique entre 1763 et 1931. La langue officielle reste pourtant le français.

17 mai 1642, **Paul de Maisonneuve** fonde officiellement la ville de **"Ville-Marie"**. Son but est avant tout de convertir les Indiens à la religion catholique. On y construit un fort, une chapelle, un hôpital. Peu à peu, des colons originaires de France arrivent et développent l'agriculture car les terres sont fertiles. La région, appelée **"Nouvelle-France"**, a pour principale ville Québec. À partir de 1763, **les Anglais** s'emparent définitivement de la colonie française. Montréal compte alors environ 5 000 habitants. Les Anglais développent l'industrialisation de la province et, à partir de Montréal, colonisent le Haut-Canada. Au 19e siècle, le ✷ [E6] **canal de Lachine** permet aux navires de remonter jusqu'aux Grands Lacs. C'est ensuite la création du chemin de fer et l'aménagement du grand **canal de Chambly** qui permettent d'établir des transports pratiques vers New York. Montréal devient une plaque tournante économique de l'Amérique du Nord en même temps qu'un centre financier. La ville se construit **autour du port et de la place du marché** où se font les échanges avec les Amérindiens. À partir de 1685, une palissade de bois protège les habitants des Indiens, puis la pierre remplace le bois des fortifications. Des faubourgs se développent au-delà des murs fortifiés car la population augmente pour atteindre près de 50 000 habitants en 1850. Les murs seront démolis au début du 19e siècle. Édifices religieux, banques, rues pavées, éclairage public témoignent du dynamisme de la ville. Entrepôts et bureaux se multiplient et le tramway relie le centre-ville aux quartiers ouvriers de la périphérie. Vers 1900, Montréal est devenue une grande ville industrielle, puis un nouveau centre se développe entre le fleuve et le Mont Royal dans lequel des gratte-ciel sont bâtis. Le ✷ [A5] **Vieux Montréal**, c'est-à-dire la ville historique, est réhabilité plus tard grâce à une prise de conscience des habitants. Il est aujourd'hui **le quartier commercial et touristique** de la ville.

Contes et légendes

Naturellement !

Situé dans le jardin botanique de Montréal, * [B1] le jardin des premières nations est l'occasion de découvrir, de façon ludique, les légendes des peuples amérindiens pour qui la nature avait une place très particulière. Du mythe de la création du monde à celle de Koluscap et le monstre d'eau, les espèces du jardin se découvrent au fil de légendes uniques. On raconte ainsi que lorsque la terre fut créée, les Anciens se réunirent et l'un d'eux dit : « Je veux devenir un bouleau pour aider les humains. Avec moi, ils feront tout ce dont ils ont besoin : canots, maisons, paniers... À travers moi, ils comprendront l'importance de communiquer avec la nature ».

Par sa riche et longue histoire, Montréal a toujours été **une ville à l'atmosphère envoûtante**. Petits et grands récits ont fait la renommée de la cité québécoise. Itak et Ulysse te proposent de découvrir les légendes montréalaises les plus célèbres.

La légende du pont Jacques Cartier

Les quatre embouts de la travée centrale du pont auraient été fabriqués pour construire **une copie de la tour Eiffel à Montréal**, c'est pourquoi ils ressemblent aux pieds de celle-ci. Le projet ayant été abandonné à cause de son coût en 1929, on les utilisa pour le pont. **Cette légende urbaine est contredite par les plans antérieurs** qui comportent ces embouts. Dans la pierre angulaire du pont, à l'angle de la rue Notre-Dame et de la rue Saint-Antoine, se trouve une boîte contenant 59 objets usuels des Montréalais datant de 1926, année du début des travaux. On ne les trouvera que quand le pont sera démoli !

Une couleur mythique
Le rouge de l'érable

Pourquoi les érables, arbres mythiques qui donnent le sucre, **deviennent rouges à l'automne ?** Les Blancs disent que c'est à cause des jours qui raccourcissent, mais les Indiens ont une toute autre explication. Selon une ancienne légende des Hurons, autrefois, **le Grand Esprit** avait enlevé aux hommes et aux animaux la faim et la soif afin de supprimer les querelles et les guerres. Mais un jour quelqu'un proposa un nouveau jeu, une compétition : **quel oiseau vole le plus haut ? Quel animal court le plus vite ?** L'aigle l'emporta, mais pour les animaux de la forêt ce fut plus compliqué. En trichant, le lièvre fit croire qu'il avait battu l'élan, le loup, le couguar et le cerf. **L'ours, qui était le juge, fut attaqué par le vrai vainqueur, le cerf**. En se réfugiant dans la forêt, il perdit tout son sang sur les feuilles des arbres à sucre. Depuis, tous les ans, les érables deviennent rouges en souvenir de cette première bagarre.

Des lacs et
des monstres

Avec ses milliers de lacs, le Québec ne manque pas de légendes parlant de monstres cachés dans la profondeur des eaux. Du lac Memphrémagog habité par le monstre Memphré au lac Pohénégamook et son effrayant Ponik, en passant par le lac Sinclair où se cache un serpent géant, ils apparaissent de temps à autre et n'ont jamais pu être attrapés. On raconte aussi que le ✷ [A3] **lac aux Castors**, situé en plein Montréal au pied du Mont Royal, abrite Lénusic, un terrible monstre déjà connu des Iroquois qui « *dévore chaque mois des humains imprudents* »… C'est du moins ce qui est écrit sur des pancartes autour du lac !

Les “stars” locales

De nombreux personnages ont jalonné l'histoire de Montréal au fil des époques. En plus de figures historiques, ce sont bien sûr **des artistes**, notamment des acteurs, des chanteurs et des musiciens, mais aussi **des écrivains et des scientifiques** qui ont offert à la ville ses plus belles lettres de noblesse.

Ils ont fait l'histoire… De Cartier à Drapeau

Jacques Cartier, navigateur né en 1491 à Saint-Malo en Bretagne, explore le Saint-Laurent en 1535 à la demande du roi de France. Sa mission est de chercher de l'or et surtout **une route pour rejoindre l'Asie**, le fameux “passage du Nord-Ouest” vers les Indes. Cartier n'en est pas à son premier voyage lorsqu'il explore la baie du Saint-Laurent, car il avait déjà atteint le Brésil et Terre-Neuve. En 1535, la flottille se compose de trois navires, *la Grande Hermine*, *la Petite Hermine* et *l'Hermérillon*, le plus maniable, qui servira à pousser plus loin l'exploration jusqu'au Mont Royal, lieu d'origine de la ville. Aujourd'hui, le ✷ [D4] **pont Jacques-Cartier**, qui enjambe le fleuve Saint-Laurent entre l'île de Montréal et la ville de Longueuil sur la rive Sud, est l'un des grands symboles de la cité québécoise. **Paul de Chomedey de Maisonneuve**, fondateur de Montréal en 1641, décide de construire un fort pour protéger la ville, alors nommée “Ville-Marie”. En 1644, il tue le chef iroquois lors d'une attaque de la ville et devient un héros. Après avoir dirigé la colonie pendant 24 ans en tant que gouverneur, il rentre en France et meurt à Paris en 1676. Un monument à sa gloire a été élevé sur ✷ [A4] **la Place d'Armes**. Autre héros local, **Lambert Closse** est arrivé en Nouvelle-France avec Paul de Maisonneuve et lui aussi est célèbre pour avoir sauvé la ville à plusieurs reprises grâce à son courage. Ses exploits militaires lui ont valu de figurer, avec **son**

Même si elle est née à Charlemagne au Québec, Céline Dion, chanteuse mondialement connue et interprète de la musique du film "*Titanic*", est associée à Montréal sur la scène internationale.

chien Pilote qui a alerté son maître lors d'une attaque des Iroquois, sur le monument de la place d'Armes. Plus près de nous, **Jean Drapeau** a été élu plusieurs fois maire de Montréal entre 1954 et 1986. La ville lui doit le métro, la place des Arts, l'Exposition universelle de 1967 et les Jeux olympiques de 1976. Son nom a été donné à **un parc situé sur les îles Sainte-Hélène et Notre-Dame** où avait eu lieu cette Exposition qui marqua l'entrée de la ville sur la scène internationale.

Do, ré, mi, fa, sol… Montréal sur scène

Léonard Cohen, né à Montréal en 1934, était avant tout un poète et un écrivain. Mais c'est comme chanteur qu'il acquit une renommée internationale. Après avoir vécu en Grèce puis à New York et être devenu moine boudhiste, il revient vivre à Montréal. En 1979, il chanta une vieille chanson québécoise, "*Un Canadien errant*". En 1991, cet artiste unique qui a influencé de nombreux auteurs-compositeurs fait son entrée au Panthéon de la musique canadienne. Deux autres artistes font partie des "géants" de la chanson québécoise : **Diane Dufresne**, très connue pour ses costumes excentriques, et **Robert Charlebois**, auteur-compositeur-interprète, à qui l'on doit la célèbre chanson "*Ordinaire*".

Vive le hockey

Fondée en 1909, les Canadiens de Montréal est la plus ancienne équipe de hockey au monde toujours en activité n'ayant connu aucune interruption. Avec ses 24 Coupes Stanley, c'est aussi l'équipe la plus titrée de toute l'histoire de ce sport. De Bob Gainey, l'un des meilleurs attaquants-défensifs de l'histoire de la Ligue de hockey, à Guy Lafleur, le premier joueur à marquer plus de 50 buts en une saison durant six années de suite, en passant par Maurice Richard, surnommé "la Comète", les hockeyeurs ont contribué à la renommée de la ville dans le monde.

Hubert Reeves

Né en 1932 à Montréal, Québec, Hubert Reeves est un célèbre astrophysicien. À partir des années 2000, sensibilisé à l'impact environnemental de l'activité humaine, Hubert Reeves devient également un militant pour la défense de l'environnement. Soucieux de faire comprendre à tous l'astronomie, il participe à des émissions télévisées de vulgarisation scientifique, dont la plus connue est "La Nuit des étoiles".

Habiter à Montréal

Chinatown

Il existe des Chinatowns ("quartier chinois" en français) en Europe, notamment à Paris ou à Londres, et en Amérique du Nord. À Montréal, le quartier de ✱ [F1] Chinatown, dont les portes d'entrée ont été offertes par la Chine, se situe le long du boulevard Saint-Laurent. C'est un quartier très touristique réputé pour sa gastronomie asiatique et ses commerces.

Festive, dynamique, cosmopolite… les adjectifs ne manquent pas pour qualifier Montréal. Considérée par beaucoup de touristes comme **la plus européenne des villes canadiennes**, elle abrite une mosaïque de quartiers ayant chacun sa propre histoire, son architecture typique et ses particularités. Découvertes dans les pas d'Itak et Ulysse…

Des villages dans la ville : les quartiers

Ville cosmopolite, à la fois européenne et américaine, Montréal ne manque pas de charme malgré sa taille. Les habitants ont la réputation d'être aimables et accueillants. La ville est francophone, mais **85 langues y sont parlées**, car c'est une ville d'immigrés et de descendants d'immigrés. Quant au français parlé ici, il peut

Magasins de mode, restaurants exotiques, épiceries bio, bouquinistes, bars typiques... La rue Mont-Royal Est est un parfait exemple de l'esprit québécois.

Bonne idée !

En te promenant dans les rues de Montréal, tu te rendras compte que certains immeubles possèdent des escaliers extérieurs. Cette particularité architecturale date d'une époque où il était obligatoire de garder de petits espaces verts devant les immeubles. Du coup, pour compenser la perte de surface construite, les promoteurs ont supprimé les cages d'escaliers intérieures.

présenter quelques pièges de vocabulaire. Tu te rendras également vite compte que **l'accent québécois a beaucoup de charme !** Comme toute ville ancienne, Montréal est formée de quartiers aux ambiances variées. Le **Vieux Montréal** vient d'être restauré. Autour de ses bâtiments historiques, comme la basilique et le château, de ses places et de ses rues étroites, il conserve son **charme colonial** fait d'apports multiples. Des Français aux Anglais puis, plus tard, des Russes aux Italiens en passant par les Juifs d'Europe centrale et les Américains, **l'histoire de la ville se retrouve dans ce quartier pittoresque** très touristique. Certains quartiers, notamment celui de la Petite Italie, le quartier chinois ou le quartier latin, ont eux aussi un passé particulier. Ainsi, le quartier de la ✷ [D1] **Petite Italie** (Piccola Italia) est situé le long du boulevard Saint-Laurent, entre la rue Saint- Zotique et la rue Jean-Talon. Restaurants italiens, bars, marché Jean-Talon, édifices religieux dont la célèbre **Notre-Dame de la Défense**. ✷ [A6] **Le quartier latin**, lui, tient son nom de sa proximité avec l'université de Montréal qui était située dans le quartier au début du 19e siècle. C'est un haut lieu culturel qui abrite en son centre ✷ [B6] le beau théâtre Saint-Denis et la Grande Bibliothèque du Québec. Le **centre-ville**, quartier récent avec ses gratte-ciel qui s'est développé entre la vieille ville et le Mont Royal et qui rappelle les grandes villes américaines, est prospère et dynamique. On y trouve des bureaux, des salles de spectacles et des musées. C'est aussi là que, sous terre, tu trouveras **plus de 30 kilomètres de voies piétonnes avec de belles boutiques et des restaurants**. C'est le plus grand quartier commercial souterrain du monde. Enfin, les grands quartiers périphériques ouvriers, comme Saint-Henri, Verdun, Moncland, qui s'étaient développés au milieu du 19e siècle, sont de plus en plus tendance. Pour découvrir les différents quartiers de Montréal, sache que des visites guidées piétonnes d'une heure et demie à partir de la ✷ [B4] **basilique Notre-Dame** et des **visites en calèche** sont proposées. Des promenades à faire en famille !

Se déplacer en ville

Se repérer !

Lors de ta découverte de la ville, tu verras que beaucoup de rues portent la mention "ouest" et "est". C'est pour la simple raison que la cité québécoise est divisée en deux parties par le boulevard Saint-Laurent, d'un côté l'ouest, de l'autre l'est... Et le nom des rues le précise. Dans chaque tronçon, la numérotation part d'ailleurs du boulevard Saint-Laurent. C'est important, et surtout très pratique pour pouvoir se repérer plus facilement !

Comme tu le verras dans ton guide, tu peux vivre une expérience inoubliable sur les rapides du Saint-Laurent. Rendez-vous en page 45.

À Montréal, on se déplace **en métro, en bus, en train, en voiture, en taxi ou... en calèche**, mais aussi **à pied et en roller et même en téléphérique**... Il n'y a que l'embarras du choix !

Du bus au bateau... Un grand réseau

L'aéroport Pierre-Elliott-Trudeau est situé dans l'île, à une vingtaine de kilomètres du centre. Le trajet est assez rapide et peut se faire en bus (ligne 747), par la navette ou en taxi (il y a un tarif forfaitaire pour aller au centre-ville). **Les taxis** de Montréal sont un peu chers et utilisent leur compteur sauf pour certaines courses réglées au forfait. La **circulation automobile est très importante** et continue de croître, aussi les autorités tentent-elles de trouver des solutions pour en limiter les impacts négatifs. On peut bien entendu louer des

En calèche

De jour comme en soirée, les cochers-guides se font un plaisir de proposer différents circuits aux visiteurs avides de découvrir le Vieux Montréal. Même si le nombre de véhicules a tendance à diminuer au fil des années, les calèches restent l'un des grands attraits touristiques de la ville. Pour embarquer pour une visite guidée, rendez-vous ✱ [C3] rue Notre-Dame ou rue de la Commune, à proximité de la place Jacques-Cartier, ou sur la place D'Youville.

Les visites en calèche durent 30 minutes ou 60 minutes. Chaque véhicule peut accueillir de 3 à 5 personnes.

voitures pour une plus grande autonomie, mais sache que le centre-ville est saturé et que le stationnement est très problématique.

Du côté des transports en commun, la ville possède **quatre lignes de métro** (bleue, verte, orange, jaune) qui fonctionnent de 5 h 30 à 0 h 30 ou 1 h 30 selon les lignes et les jours de la semaine. Il y a également **170 lignes d'autobus dont 20 circulent la nuit**. Certaines lignes ont un Service Express, plus rapide puisque tous les arrêts ne sont pas desservis. La mise en place de bus électriques est prévue dans les prochaines années et, dès 2012, certaines lignes ont été pourvues de trolleybus, des véhicules utilisant l'électricité distribuée par des fils au-dessus de la rue, comme les tramways. **Tickets et cartes hebdomadaires ou mensuelles** permettent d'utiliser le métro ou le bus. Un ticket est valable deux heures et autorise tous les changements. C'est très pratique ! D'ailleurs métro et bus sont appréciés et leur fréquentation est en hausse régulière.

Malgré la rigueur des hivers de Montréal, **le vélo** se pratique même pour aller travailler. Les pistes cyclables se multiplient et représentent aujourd'hui **environ 350 kilomètres**. Certaines sont séparées de la rue par un muret et régulièrement déneigées. Un système de vélos en libre-service est également à l'étude.

Enfin, quelques **navettes fluviales fonctionnent en été**, comme celle qui dessert les îles Boucherville, mais le fleuve est le plus souvent impraticable en hiver.

Que ce soit pour aller à l'école ou au bureau, les habitants de Montréal se déplacent volontiers en rollers. En France, on les appelle "roller en ligne", tandis qu'au Québec, on dit plutôt "rollers à roues alignées".

C’est la fête !

Thanksgiving

Depuis la fin du 17e siècle, cette fête est un hommage aux premiers colons venus s’installer dans le Nouveau Monde. Thanksgiving est une fête familiale marquée par un repas traditionnel : dinde farcie, pommes de terre (le légume des colons) et maïs (le légume des Indiens), puis tarte à la citrouille.

Un moment magique : Noël à Montréal

Autour de la rue Sainte-Catherine, le **“défilé du Père Noël”** annonce les fêtes de fin d’année et attire une foule immense au milieu du mois de novembre. Cette parade marque le début des célébrations de Noël. Illuminations magiques, sapin géant place Ville-Marie, concert de Noël à Notre-Dame, **exposition de crèches du monde** à l’oratoire Saint-Joseph… la ville revêt pour l’occasion ses habits de fête. Les samedis de décembre, feux d’artifice sont tirés près du Vieux Port. Toujours en décembre, les **“Féeries du Vieux Montréal”**, avec ses animations, ses marchés de Noël, ses feux d’artifice et son bal du Nouvel An, sont un rendez-vous toujours très attendu.

Des rendez-vous toute l’année

Montréal est **célèbre dans le monde entier pour sa vie culturelle et ses nombreux festivals**. Francofolies (début juin), Festival de jazz (début juillet), Festival des Musiques du monde, Festival international Nuits d’Afrique, Cinémania, **Festival international du Film pour enfants** (début mars)… il y en a pour

Les FrancoFolies de Montréal, festival de la chanson francophone, ont été fondées en 1989 par Jean-Louis Foulquier, le créateur des célèbres Francofolies de La Rochelle

tous les goûts ! De début janvier à la fin mars, le **"Village des neiges"** du ✱ [F6] parc Jean-Drapeau reproduit une ville du monde avec restaurant, bar, sculptures de neige, labyrinthes. C'est une visite inoubliable à faire de jour comme de nuit car les éclairages sont féeriques. À la mi-février, durant 10 jours, le centre-ville et le Vieux Port abritent un autre rendez-vous annuel très attendu par les habitants : la **"Fête des Lumières"**. Autour du 1er juin, la **"Feria du vélo"**, qui réunit plus de 15 000 cyclistes, fait de Montréal la capitale du vélo en Amérique du Nord. Toujours au mois de juin, le 24 précisément, c'est tout le Québec qui célèbre la **"fête nationale"** et par la même occasion le solstice d'été. Une tradition depuis 1977. Montréal est aussi le théâtre de rendez-vous originaux comme la "**Fête des enfants"**, une fête gratuite avec des spectacles, des jeux, des animations, des structures gonflables qui a lieu pendant tout le mois d'août dans le parc Jean-Drapeau. Pour les passionnés de bateaux, le **"Festival du bateau classique"**, avec ses bateaux anciens et ses animations, et **"Les Grands Voiliers sur les quais"** avec son village maritime, ses voiliers et ses feux d'artifice, raviront petits et grands. Enfin, début juillet, place au rire pour les familles ! Le festival **"Juste pour rire"** propose des spectacles humoristiques de nombreux artistes canadiens, français et américains.

La magie des lanternes

Évènement à la fois festif et culturel, "La Magie des Lanternes" est une grande fête de la lumière qui se déroule chaque année au Jardin de Chine du Jardin botanique de Montréal. La thématique change tous les ans. Cette féerie lumineuse est un moment unique qui dure environ deux mois à partir de début septembre. À ne pas rater !

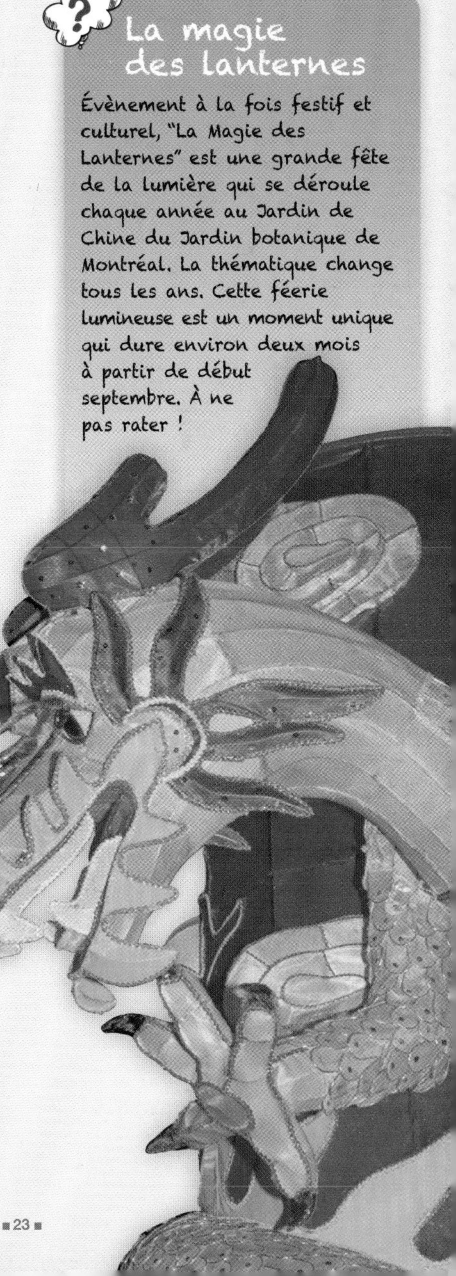

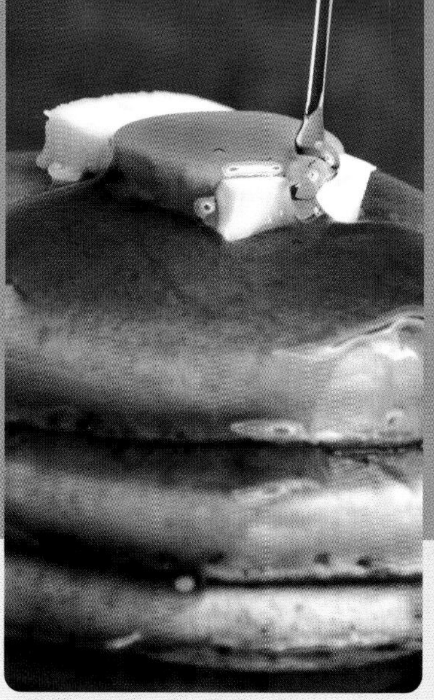

Qu'est-ce qu'on mange ?

La cuisine montréalaise est, à l'image de la ville, **d'une grande richesse**. On peut manger de multiples façons, mais il n'y a pas de vente ambulante dans les rues de la ville. Les voitures des vendeurs de frites (les "patates", comme on dit ici) ont disparu en 1947, surtout pour des raisons de sécurité.

Une ville gourmande
Le monde à ta table

L'influence de la cuisine française est naturelle, mais l'influence de la cuisine juive est également très présente dans la gastronomie locale. **Le bagel** a été, par exemple, apporté par les juifs polonais. C'est **un petit pain brioché** recouvert de graines de pavot de couleur noire ou de sésame de couleur blanche. Plus petit et plus sucré que le bagel de New York, il est cuit au four, le plus souvent devant les clients. L'un des deux temples montréalais du bagel, * [D1] **Fairmount Bagel**, fondée en 1919, est la plus ancienne boulangerie où l'on fabrique des bagels à Montréal. Un passage obligé pour tous les gourmands. Allemande, italienne, britannique ou asiatique, toutes les cuisines des immigrés ont laissé leur empreinte dans la gastronomie de Montréal. Mais certains plats typiques sont devenus des plats nationaux. Le plus célèbre est **la poutine**, des frites recouvertes de fromage fondu, mais aussi les fèves au lard, le jambon à l'érable, les saucisses, les œufs dans du sirop, les tartelettes au beurre, la tourte à la viande, le bœuf fumé ou encore le jambon bouilli. N'oublie pas non plus de goûter les **grillades de lard, appelées aussi oreilles de crisse**, un plat traditionnel constitué de croustilles de lard salé grillées à la poêle. Aussi incontournable que les célèbres poutines, **le "Smoked meat"**, un grand classique de la gastronomie du Québec et de Montréal, originaire d'Europe de l'Est, est un gros sandwich au pain de seigle, garni de viande fumée et de moutarde sucrée.

Bien qu'il soit un peu cher, le fromage est fort apprécié. Le Canada en produit 200 sortes, sans doute une habitude des colons. Enfin, le **"cidre de glace"** est une invention récente qui consiste à faire du cidre avec des pommes gelées et une fermentation froide...

Le sirop d'érable
Le produit "star"

Le célèbre sirop d'érable est fait à partir de **la sève récoltée au printemps**. Il faut 30 à 40 litres de sève d'érable pour produire un litre de sirop, car la sève contient 97 % d'eau. On réduit la quantité d'eau par la chaleur jusqu'à 34 %. Le sirop d'érable est exporté dans le monde entier, principalement aux États-Unis. **Au Canada, il entre dans la composition de nombreux plats, y compris des plats salés.** Les produits issus de l'érable peuvent se trouver dans des boutiques spécialisées et même dans les supermarchés. Pour trouver une "cabane à sucre", il faut quitter la ville. Au printemps, certains exploitants d'érables accueillent les amateurs pour manger la **"tire sur la neige"**, ce sirop bouillant versé sur de la neige.

La faune et la flore

La nature à l'honneur
Une "ville verte"

Malgré urbanisation, la nature est très présente à Montréal, que ce soit dans les innombrables parcs ou sur les rives du fleuve tout autour de l'île... Avec ses 200 hectares de forêt au cœur de la ville et ses 60 000 arbres, **le Mont Royal est le poumon vert de la ville**. Il est protégé, depuis 2005, au titre "d'arrondissement historique et naturel". Le site abrite un type de forêt considéré comme rare sur l'île de Montréal : **la chênaie boréale**. Des champignons rares se développent sur le sol, mais aussi sur les troncs des chênes. Il ne faut pas les ramasser. Autre écosystème exceptionnel, dans le fleuve, le **Parc national des îles Boucherville**, d'une superficie de 8 km² répartie sur six îles, est une réserve de terres basses partiellement inondables dont la faune et la flore sont protégées. Dans les forêts et les prairies, on trouve des espèces typiques, notamment des fleurs comme le beau **lys tigré**, l'érythrone d'Amérique, le trille blanc, le petit prêcheur ou encore le sanguinaire du Canada. Dans les forêts, les arbres les plus répandus sont l'érable à sucre, l'érable gris, le bouleau, le pin blanc, le pruche, le frêne rouge, le saule, le peuplier et le sumac.

Le célèbre parc floral de Montréal a été créé en 1980 sur l'Île Notre-Dame, à l'occasion des Floralies internationales.

En 1998, 10 cm de glace se sont accumulés en seulement cinq jours. 5 000 arbres endommagés de la chênaie du Mont Royal ont dû être abattus.

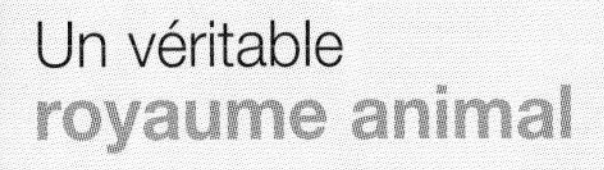

Un véritable royaume animal

La faune est également très variée, avec des **espèces typiquement locales** comme le castor, la mouffette rayée, le raton-laveur, le cerf de Virginie ou le vison d'Amérique. Il n'y a pas de chevreuils. **Les écureuils**, qu'ils soient roux, gris et de Corée, sont extrêmement nombreux à Montréal et se plaisent beaucoup en ville, où les parcs et les promeneurs leur procurent le gîte et le couvert. On peut aussi voir des chauves-souris, plusieurs espèces de tortues et de grenouilles, et même des salamandres. Chardonneret, alouette, hirondelle, grive, troglodyte, crécerelle, sizerin flammé, cardinal rouge, chouette lapone, grand-duc... **les rives du Saint-Laurent sont également un vrai refuge pour les oiseaux**. Enfin, dans le fleuve, les spécialistes estiment à 45 le nombre d'espèces de poissons.

Les "stars" canadiennes

Le castor et le caribou sont les deux animaux emblématiques du Canada. Le castor a fourni aux hommes de précieuses fourrures pendant des siècles, mais sa chasse est maintenant très contrôlée. Le caribou, lui, appartient à la familles des cervidés et sa tête orne la pièce de monnaie de 25 cents. Il est évoqué régulièrement dans les récits sur le pays et dans de nombreuses légendes.

DES ACTIVITÉS POUR TOUTE LA FAMILLE

A
B
C
D
1
2
3
4
5
6
Quartier Chinois
Hôtel de Ville
Ville Marie
Place Jacques Cartier
Route Ville Marie
Vieux Montréal
Rue St-Pierre
80 km
60 km

E F

Quai del'Horloge

Bassin Bonsecours

J. Cartier

Le Vieux Port

in King ward

Av. Pierre Dupuy

King ndra

0 200 m

© 2011 - geoatlas.com

D2

Marché Bonsecours

350, rue Saint Paul Est
Montréal, QC H2Y 1H2
M° Ligne 2 (orange) Champ de Mars

Il y a marché et marché ! Celui-ci, construit de 1844 à 1852, est extraordinaire. Au bord du Saint-Laurent, il devait être ***« digne du fleuve qui apporte ses richesses à la ville »***, donc majestueux ! Pari réussi ! Classé "lieu historique national du Canada" depuis 1984, le marché a été prévu pour accueillir dans les étages des bureaux et des salles des fêtes, dont une salle de concert et une salle des banquets pour... 3 000 personnes !

Le marché Bonsecours est un bâtiment néoclassique dont la façade s'étire le long du fleuve. Au centre, le corps principal est orné de colonnes et surmonté d'un dôme argenté très caractéristique. Il a même été **l'hôtel de ville de 1852 à 1878**, avant la construction du bâtiment actuel rue Notre-Dame. Récemment rénové, on y trouve des boutiques chics et des restaurants. On y organise régulièrement des salons, des braderies dont **la célèbre Braderie de la Mode** à l'automne, des expositions de toutes sortes, des concerts. Ouvert jusqu'à 21 heures en été, il s'y passe toujours quelque chose !

Centre des sciences

Quai King-Edward
Montréal, QC H2Y 2E2
M° Ligne 2 (orange) Place d'Armes

Si tu es curieux, ce Centre va te plaire car **de nombreuses activités interactives** permettent d'aller à la découverte de la science et de la technologie tout en s'amusant.

De **"Science 26"**, qui te fera prendre conscience que tu rencontres la science à tout moment dans ta vie quotidienne, à **"Mission Gaia"**, qui explore le cycle de vie d'un... tee-shirt ! en passant par **"Imagine"**, où tu découvriras les rêves que les hommes espèrent voir se réaliser au moyen de la science, et **"Cargo"**, qui permet de découvrir le monde du transport maritime actuel, tu iras de surprise en surprise. Ne rate pas non plus les **"Vitrines technologiques"**, une activité qui montre que la technologie progresse en permanence pour améliorer la vie sur Terre. Bien d'autres sujets te sont proposés, sans compter les expositions temporaires qui se renouvellent régulièrement.

Enfin, une séance au **cinéma Imax**, où passent les **meilleurs films en 3D**, est indispensable. L'image, projetée sur un écran 10 fois plus grand qu'un écran normal, est à couper le souffle. Elle occupe tout ton champ de vision, donc tu ne verras ni les bords sur les côtés de l'écran ni la tête du spectateur qui est devant toi car il est assis vraiment plus bas !

B5

Musée d'Archéologie et d'Histoire

350, place Royale
Montréal, QC H2Y 2C9
M° Ligne 2 (orange) Place d'Armes

Consacré à l'histoire de Montréal, ce musée est un excellent **point de départ** avant de partir à la découverte de la ville. Outils, armes, vêtements, bijoux, moyens de transport, objets de culte, jeux, matériaux de construction... tu y verras des objets qui proviennent de fouilles archéologiques et qui racontent **la vie des Amérindiens, puis celle des colons**....

Le musée présente aussi d'exceptionnelles collections de gravures, de photographies et de cartes postales. Ces expositions t'entraînent dans un fabuleux voyage de 4 000 ans qui raconte le fabuleux destin d'une petite île du fleuve Saint-Laurent devenue une grande ville moderne ! Enfin, sache que tu peux aussi partir **à la recherche des vestiges historiques encore visibles dans la ville** qui font partie des collections du musée : fortifications de la ville, fort de Ville-Marie, château de Callière, premier cimetière catholique, égout collecteur William...

À retenir...
Ne manque pas la salle "Ici naquit Montréal" où tu verras des objets sortis de terre Place d'Youville, à l'emplacement exact de la fondation de la ville.

The Power
Valeur
du sirop d'
Qualité certifiée
Nutrit
of Maple S

C3

Les Délices de l'érable

84, rue St-Paul Est
Montréal, QC H2Y 1G6
M° Ligne 2 (orange) Champ-de-Mars
ou Place d'Armes

Dans le Vieux Montréal, à proximité du port, n'hésite pas à entrer dans la boutique qui s'appelle *"Les Délices de l'érable"*. C'est à la fois **un bar, une boutique et un musée** qui explique tout ce que l'on peut apprendre sur l'érable. C'est vraiment passionnant, surtout pour ceux qui pensent que l'érable est seulement un arbre. Il faut savoir que la sève de l'érable à sucre est plus généreuse en sucre que celles de l'érable rouge et de l'érable argenté. **Les Amérindiens faisaient déjà du sirop avec la sève**.

La boutique propose **tous les produits que l'on peut faire avec la sève sucrée**. Des pâtisseries, des muffins, des glaces franchement délicieuses, des sirops variés, du plus clair au plus foncé, des bonbons et des friandises, du vinaigre, de la moutarde, du beurre, du thé et du café... Il y en a vraiment pour tous les goûts. On peut **goûter sur place** dans une ambiance chaleureuse avant d'en acheter si on le souhaite.

Ils se sont dit "Oui"

Le mariage de la chanteuse québécoise Céline Dion avec René Angélil a été célébré dans la basilique Notre-Dame en décembre 1994.

B4

Basilique Notre-Dame

424, rue Saint-Sulpice
Montréal, QC H2Y 2V5
M° Ligne 2 (orange) Place d'Armes

La basilique Notre-Dame est la cathédrale de Montréal. Reconnaissable à la **pierre grise très typique** de la cité québécoise, elle a été bâtie par l'architecte new-yorkais James O'Donnell à partir de 1824. La basilique a remplacé l'église d'origine de Ville-Marie qui se trouvait sur la place d'Armes. Le très bel édifice de style néo-gothique abrite d'ailleurs des œuvres d'art de l'ancienne église, notamment des tableaux, des vitraux et des sculptures.

Les voûtes de l'édifice sont des plafonds suspendus à la structure du toit. On peut donc considérer que ce sont de "fausses voûtes", car une vraie voûte est une construction de pierre posée sur des piliers.

À la fin du 19e siècle, le curé Rousselot, suite à un voyage à Paris, fait exécuter les magnifiques peintures intérieures inspirées de la Sainte-Chapelle. En même temps, il fait construire l'immense retable du chœur derrière l'autel, la chaire et les grands orgues.

Envoûtant !

Après la visite du château, le Jardin du Gouverneur est un endroit parfait pour une balade. En plus des couleurs et des parfums, tu y découvriras l'utilité des plantes au 18e siècle.

C2

Château Ramezay

280, Notre Dame Est
Montréal, H2Y 1C5
M° Ligne 2 (orange) Champ de Mars

Premier édifice classé monument historique au Québec, cette grande maison en pierre grise construite en 1705 par le **gouverneur de la ville**, Claude de Ramezay, a été agrandie en 1756, d'où le nom de château. Bureaux, siège du gouvernement, palais de justice, université... en trois siècles, elle a **changé d'usage une dizaine de fois**. Depuis 1895, le château de Ramezay est un musée.

Au cours de la visite, tu pourras découvrir les différentes pièces du château dont **la salle de Nantes et ses incroyables boiseries d'acajou** et tout savoir sur l'histoire de Montréal. Un voyage passionnant à la rencontre des habitants d'une petite colonie devenue une cité immense. Dessins, peintures, sculptures, livres, monnaies, meubles... le château Ramezay, tu l'auras compris, est un très beau musée d'histoire et d'ethnologie qui va **de l'époque des Iroquois jusqu'au 20e siècle**. Parmi les pièces originales, ne rate pas le "Grand Bi", l'ancêtre du vélo, ou la "hache-calumet" !

À retenir...
L'ethnologie est l'étude des modes de vie de toute une population, du paysan au seigneur.

CAT
CAT
CAT
SAUTE
TONS
JET BOATIN
rapides

C4

Saute-mouton sur les rapides du Saint-Laurent

47, rue de la Commune Ouest
Montréal, QC H2Y 2C6
M° Ligne 2 (orange) Place d'Armes

Sur les rapides du fleuve Saint-Laurent, tu peux vivre une expérience inoubliable ! En effet, voilà une attraction palpitante et très réputée, **mélange de... rodéo et de douche froide** : tu embarques dans un bateau à fond plat en compagnie d'une vingtaine de personnes et un guide te fera descendre les rapides de Lachine. Il vaut mieux ne pas être fragile du dos, car c'est à la fois **une sacrée expérience et une épreuve** de sauter ainsi sur des vagues énormes ! Même les cirés ne suffisent pas à rester au sec. Une excursion unique à **la découverte d'un aspect sauvage du grand fleuve Saint-Laurent.**

À retenir...
Ça "brasse" encore plus à l'avant du bateau qu'à l'arrière ! À toi donc de prendre la place qui te convient dès le début...

C6

Parc Safari

280, Rang Roxham
Saint-Bernard de Lacolle, QC J0J 1V0

Pour tous les amoureux d'animaux, le Parc Safari est une visite à ne surtout pas manquer. Au fil de la visite, c'est **environ 800 animaux, représentant 30 espèces**, que tu pourras admirer. Tu peux commencer la visite par **"L'observatoire"**, une passerelle d'où tu pourras observer des animaux, notamment des ours, des hyènes et des loups en liberté. Ensuite, tu arriveras dans un tunnel vitré où tu auras l'impression de **te promener parmi les lions**. Même chose pour les tigres qui viendront te dévisager de l'autre côté des vitres. En fait, c'est toi qui es en cage ! Après les fauves, direction **"Le sentier des chevreuils"**. Là, en plus de pouvoir toucher ces animaux attachants, tu pourras également les nourrir. Une belle expérience !

Si tu es en voiture, tu pourras tenter le "safari aventure" pour circuler dans le parc parmi les animaux exotiques venus du monde entier. Zébus, bisons, zèbres, girafes, éléphants, dromadaires... le monde animal défile sous tes yeux. Sache que tu peux **assister au repas des animaux** depuis "la passerelle des singes". Enfin, sur l'aire de pique-nique, tu pourras voir **des démonstrations de vol d'oiseaux de proie**.

Après avoir vu les animaux, direction la **"Zone fraîcheur"** avec la plage, la cascade, la folle descente de la Crique magique et les fontaines de la pataugeoire de Dineau.

À retenir...
10 manèges, dont le circuit de tacots qui te permettra de conduire toi-même, attendent les plus jeunes dans le parc "Manèges en folie".

C6

Zoo de Grandby

1050, boulevard David-Bouchard
Granby, QC J2G 5P3

Bienvenue dans un grand parc zoologique où **les animaux sont regroupés par continent**. Tous les circuits partent du village. C'est aussi dans ce village que se trouve "la Caverne" et ses fascinants habitants. Chauves-souris, tritons verts, poissons aveugles, c'est plongé dans une semi-obscurité que tu découvriras les animaux des ténèbres. C'est également au village que se trouve **la célèbre mini-ferme et ses animaux miniatures** que l'on peut caresser et nourrir. Enfin, "la Hutte à découvertes" propose au public une sensibilisation à la nature, à sa fragilité et à sa protection.

Durant tes voyages sur les différents continents, n'oublie pas de **faire tamponner le passeport** qui te sera remis à l'entrée. L'exploration de l'Afrique te fera passer **de la vallée des gorilles à la rivière aux hippopotames et à la superbe savane**. En Amérique du Sud, les sentiers du soleil passent près du jaguar, du capybara (le plus grand rongeur du monde), du condor, pour se terminer chez les alligators. Dans quelle partie du monde trouveras-tu les kangourous et les émeus ? Et le léopard des neiges ? Bon voyage et à toi de jouer !

À retenir...
Si tu as encore de l'énergie, 14 grands manèges t'attendent au Parc des manèges. Il y a aussi un parc aquatique de 45 000 m².

Rendez-vous !

De la mi-mai à la mi-octobre, le cercle de feu embrase la fontaine toutes les heures de 18 h 30 à 22 h 30. Le spectacle dure 35 minutes.

Fontaine de la Joute

Place Jean-Paul Riopelle
Montréal, QC H2Z 1H2
M° Ligne 2 (orange) Place d'Armes

Sur un grand bassin rond, la fontaine de la Joute est **animée de jets d'eau changeants**. Mais le plus extraordinaire est **le cercle de feu qui l'entoure et qui semble sortir de l'eau les soirs d'été**. Il y a toujours du monde pour attendre ce spectacle fascinant.

Composée de 29 statues posées sur deux bassins remplis d'eau, la fontaine est **une sculpture monumentale de Jean-Paul Riopelle**, célèbre peintre et sculpteur québécois. Même si on ne sait pas trop ce que l'ensemble représente, les gens la surnomment **"Le totem"** en référence aux Amérindiens. Pour d'autres, elle symbolise **la joute**, un jeu d'adresse qui consiste à faire tomber son adversaire.

Installée dans le Parc olympique à l'occasion des Jeux olympiques de 1976, **la fontaine a été déplacée** vers le quartier des affaires. Alors que certains ont regretté ce déplacement, d'autres faisaient remarquer qu'elle est maintenant sur une place qui porte le nom de son créateur. Et surtout qu'elle a pu être installée ici avec son cercle de feu imaginé par son auteur, ce qui n'était pas le cas lorsqu'elle était dans le parc.

À retenir...
Si tu vas vers l'entrée sud de la place, tu pourras voir une statue en bronze représentant le sculpteur Jean-Paul Riopelle.

Ça Roule Montréal

27, rue de la Commune Est
Montréal, QC H2Y 1H9
M° Ligne 2 (orange) Place d'Armes

Ça Roule Montréal s'est spécialisé, depuis plus de 15 ans, dans les tours guidés à vélo de Montréal. C'est un moyen vraiment original de parcourir la ville et de découvrir ses innombrables trésors et des lieux plus intimes. Les départs ont lieu à 9 h 30 et 13 h 00 dans le quartier du Vieux Port.

"Tour de Ville", "Panorama Architecture" ou "Montréal, tout en contraste"... au total ce sont **neuf choix de tours et quatre choix de randonnées** pour percer les secrets de la cité québécoise. Les parcours encadrés par des **guides professionnels spécialement formés pour gérer des groupes à vélo** durent environ 4 heures et font une vingtaine de kilomètres. Ils permettent, par exemple, aux petits comme aux grands, d'aborder la découverte de Montréal sous l'angle de leur choix.

Après la promenade, *Ça Roule Montréal* prête le vélo jusqu'à la fin de la journée pour continuer ta balade en famille en toute liberté. Grâce à **la carte *Ça Roule Montréal* des pistes cyclables de Montréal**, tu auras aussi un large choix d'itinéraires de qualité. Enfin, sur simple demande, on peut également faire réaliser son propre parcours selon ses envies.

À retenir...
Pour les randonnées, il faut avoir au moins 13 ans et bien savoir faire du vélo. Car se déplacer en groupe demande beaucoup de vigilance.

A
B
C
D
1
2
3
4
5
6
Rue Moreau
5 km
2 km
1 km
4 km
8
2
3
4
5
7
10
11
9
Parc Baldwin
Rue d'Iberville
Rue Logan
Rue Ontario E
Rue Gascon
Rue Bercy
des Erables
Rue Messier
Rue Fullum
Rue du Havre
Rue Frontenac
Rue de Lorimier
Rue Parthenais
Rue Dufresne
Rue Cartier
Avenue Papineau
Rue Dorion
Rue Ontatio E
Parc de Maisoneuve
Rue Sainte-Catherine E
Parc Lafontaine
Rue de Champlain
Rue Alexande Desève
Rue Plessis
R. Logan
Rue de la Visitation
Pont
fontaine
Rue Moncalm
Rue Panet
Rue Wolfe
Rue Ontario E
Rue Saint-Timothée
Rue Saint-André
Rue Berri
Av. Savoie
Rue Saint-Hubert
R. Sanguinet
Ville Souterraine
Tour de l'Horloge

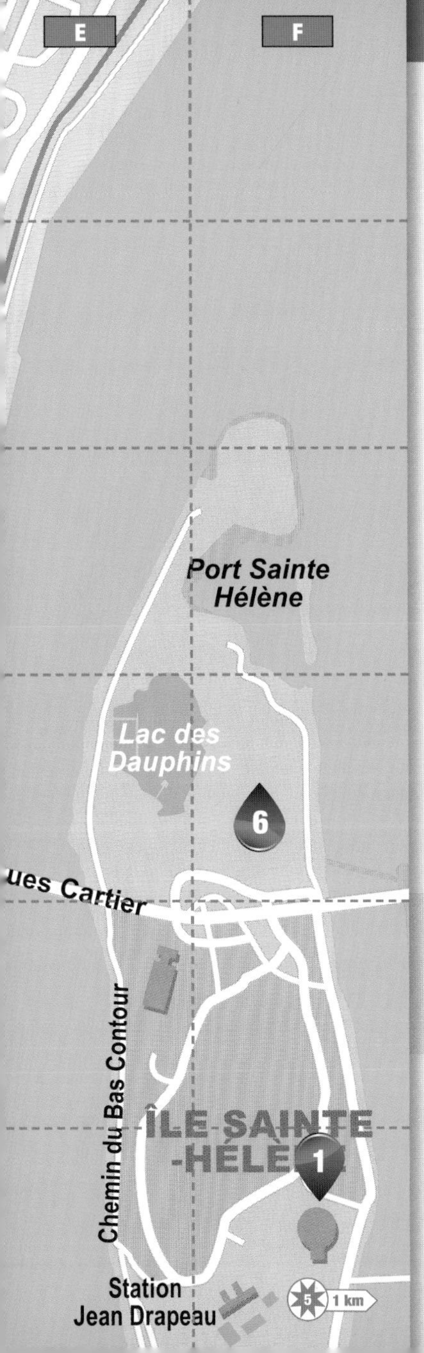

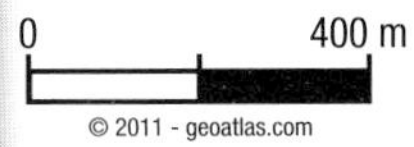

© 2011 - geoatlas.com

Biosphère

160, chemin du Tour de l'îsle
Montréal, QC H3C 4G8
M° Ligne 4 (jaune) Jean Drapeau

Dans le parc Jean-Drapeau, sur l'île Sainte-Hélène, cette sphère est **le symbole de l'Exposition universelle de 1967**. Conçue par l'architecte et ingénieur américain Richard Buckminster Fuller, elle était le pavillon des États-Unis.

C'est un véritable chef-d'œuvre architectural, situé au bord de l'eau, mais aussi un lieu d'animations dédié aux questions environnementales.

La sphère a été offerte à la ville de Montréal qui l'utilise comme **un oasis végétal peuplé d'oiseaux**. Plus tard, elle décide d'y aménager un espace consacré à la recherche sur l'écosystème "Grands Lacs - Saint-Laurent". Tu peux donc y voir **des expositions**, dont une exposition extérieure de photos géantes et d'autres ludiques (jeux, marionnettes…) réservées aux 5-17 ans. **Les thématiques sont orientées vers l'eau** mais concernent l'ensemble du Canada, y compris l'Arctique, et plus généralement la biodiversité.

le chiffre d'Itak

L'escalier mécanique de 37 mètres qui faisait partie de l'aménagement d'origine était le plus grand du monde.

Magique !

"La magie des lanternes" est un événement à ne pas manquer si tu visites Montréal au début de l'automne. La thématique de la parade change chaque année, mais c'est toujours féerique ! À cette occasion le jardin reste ouvert jusqu'à 21 heures.

B1

Jardin botanique
(Botanical garden)

4101, rue Sherbrooke Est
Montréal, QC H1X 2B2
M° Ligne 1 (verte) Pie-IX

Sais-tu à quoi ressemble un jardin de monastère ? Oserais-tu entrer dans un jardin de plantes vénéneuses ? Veux-tu te promener dans une érablière, cette forêt d'érables et de plantes typiques de la région de Montréal ?

Si tu veux vivre cette aventure, direction le Jardin botanique de Montréal où tu découvriras **des plantes et des jardins du monde entier**, en plein air ou en serres. L'occasion d'admirer, par exemple, les failles d'orchidées et leurs fleurs qui durent entre... une journée et six mois ! Autre passage obligé : **la collection de bonsaïs et d'arbres miniatures** est l'une des plus importantes du monde hors Asie. Tu peux les voir dans **le jardin des bonsaïs**, la **Cour du printemps** ou dans le **Jardin céleste** et ses portes en forme de lune. Certains arbres ont 350 ans !

Un panorama unique

Un observatoire occupe le dernier étage de la tour. De là on peut voir, par temps clair, jusqu'à 80 km à la ronde. La vue sur la ville de Montréal est absolument fantastique.

Stade olympique

4545, avenue Pierre de Coubertin
Montreal, QC H1V 3N7
M° Ligne 1 (verte) Pie-IX

C'est pour **les Jeux olympiques d'été de 1976** que fut construit le superbe Stade olympique de Montréal. Les travaux ont été terminés le 9 juillet, six jours seulement avant la cérémonie d'ouverture qui a eu lieu le 17 juillet.

Symbole de la modernité et du savoir-faire québécois, c'est **le plus grand stade du Canada** avec 56 000 places. Son toit rétractable permet de couvrir l'enceinte de novembre à avril. Aujourd'hui, le stade accueille des matchs, notamment de base-ball, de football et de rugby, mais aussi beaucoup de concerts.

À elle seule, la tour qui surplombe le stade mérite le détour. Il s'agit de **la plus grande tour inclinée du monde !** Elle avait pour fonction de soutenir, par des câbles, le toit mobile. Elle servait donc de mât. On y monte par **un funiculaire** installé sur un angle. La cabine peut embarquer 76 passagers à la fois, sur deux niveaux, et reste toujours horizontale malgré la courbe de son rail. La montée est très impressionnante à cause de la vue que l'on découvre dans la cabine entièrement vitrée.

À retenir...

La gymnaste roumaine Nadia Comaneci réalise l'exploit des Jeux olympiques de 1976 en remportant cinq médailles dont trois d'or. Âgée de seulement 14 ans et demi, elle obtient la note parfaite de 10 à sept reprises.

Biodôme

4777, avenue Pierre de Coubertin
Montréal, QC H1V 1B3
M° Ligne 1 (verte) Viau

Le Biodôme a été installé dans l'ancien vélodrome construit pour les Jeux olympiques d'été en 1976 à côté du stade. Ce site unique regroupe **un zoo, un aquarium et un jardin botanique** et se donne pour mission de recréer l'habitat naturel des animaux, dont les **quatre principaux écosystèmes du continent américain**. Donc, si tu veux plonger, humidité et températures comprises, au cœur de la forêt amazonienne ou de la forêt québécoise, c'est la bonne adresse ! Et il y a aussi les écosystèmes du golfe du Saint-Laurent et celui des pôles Nord et Sud. Une visite passionnante !

Pour les amoureux des animaux, le Biodôme est un rendez-vous à ne pas rater. En effet, sous les immenses verrières, tu pourras admirer des lynx, des castors, des loutres, des oiseaux, des singes et même des caïmans. Enfin, n'hésite pas à **poser des questions aux animateurs** pour en savoir plus sur les animaux du parc.

B1

Planétarium

4801, avenue Pierre de Coubertin
Montréal, QC H1V 3V4
M° Ligne 1 (verte) Viau

Si tu aimes avoir la tête dans les étoiles, le nouveau Planétarium Rio Tinto Alcan, délocalisé en 2013 **près du Biodôme**, est l'endroit parfait. Dans les trois salles d'animation, tu pourras te familiariser avec l'observation scientifique des objets célestes. Direction ensuite la salle d'exposition permanente avec sa **collection de météorites et ses bornes multimédia interactives**. Dans la même salle, tu pourras expérimenter **un simulateur de vol** et te prendre pour un astronaute.

Le planétarium propose de beaux spectacles qui permettent, à l'instar d'un télescope, de **scruter tout l'univers** comme si tu étais propulsé vers l'infiniment grand. Ensuite, c'est vers l'infiniment petit que tu iras. Enfin, dans une autre salle, tu pourras **voyager à la demande parmi les constellations !**

À retenir...
Une constellation est un groupe d'étoiles auquel on a donné un nom. En somme, une famille !

Parc “La Ronde”

22, chemin Macdonald, Montréal, QC H3C 6A3
M° Ligne 4 (jaune) Jean Drapeau
puis autobus 167
M° Ligne 1 (verte) Papineau puis autobus 169

Ouvert lors de l’Exposition universelle de 1967, “La Ronde” est devenu, depuis les aménagements de 2002, **le plus grand parc d’attractions de la région**.

Quel que soit l’âge, et bien sûr la taille, chacun y trouvera le manège qui lui convient. Les plus connus sont la Grande Roue, la Pitoune, **le Monstre, avec sa descente à 90 km/h**, le Vampire et le Splash, dont le bateau plonge de 15 mètres et provoque une vague bien mouillante ! L’attraction “star” reste **le Goliath**, l’une des plus grandes montagnes russes d’Amérique du Nord ! Enfin, pour les amateurs de sensations fortes, direction **le Cobra**, dans lequel on fait une boucle verticale debout dans des wagons, tout en étant juste maintenu par des harnais ! Pour les moins intrépides, il y a des manèges plus calmes et **les spectacles du Pays de Ribambelle**.

À retenir...
De nombreux spectacles pyrotechniques sont au programme chaque été dont le célèbre Concours international d’art pyrotechnique de Montréal. Histoire de finir la journée en beauté !

Insectarium

4581, rue Sherbrooke Est
Montréal, QC H1X 2B2
M° Ligne 1 (verte) Pie-IX ou Viau

S'adressant aussi bien aux enfants qu'aux parents, l'Insectarium propose un voyage fascinant pour découvrir et mieux comprendre, au travers des expositions, **le monde souvent méconnu des insectes**.

Les collections permanentes d'insectes naturalisés sont présentées de manière originale pour mettre en valeur les plus belles espèces : les papillons bien sûr, tous plus beaux les uns que les autres, mais aussi d'autres bestioles comme les Phyllium (qui ressemblent à des feuilles) ou les coléoptères (certains sont brillants comme des pierres précieuses).

Mais ce musée a aussi des collections... vivantes ! De vrais phasmes (que tu ne vois que lorsqu'ils bougent car ils se confondent avec les brindilles et les feuilles), des cétoines de toutes les couleurs, des grillons, des papillons, des blattes géantes, des insectes aquatiques, des abeilles et, bien sûr, pour les amateurs seulement car ça fait peur, des araignées et des mygales...

4 C'est en milliers de kilomètres ce que parcourt le Monarque, un papillon d'Amérique, pour aller passer l'hiver au Mexique.

A1

TOHU, Cité des arts du cirque

2345, rue Jarry Est
Montréal, QC H1Z 4P3
M° Ligne 5 (bleue) D'Iberville puis bus 94 Nord

Depuis 1999, Montréal est **l'une des capitales internationales des arts du cirque**. Dans le quartier Saint-Michel, la **Cité des arts du cirque** rassemble le siège social du Cirque du Soleil, l'un des cirques les plus connus au monde, et son centre d'hébergement pour les artistes, une **École internationale du cirque** et même une **salle de spectacle** pour les représentations.

Le nouveau nom de cet ensemble est TOHU, qui vient de **"tohu-bohu"**, expression qui évoque l'effervescence d'un lieu où il se passe toujours quelque chose. Tu y découvriras d'ailleurs **l'exposition "La fabuleuse histoire du cirque"** située dans les coursives de la salle de spectacle.

Enfin, bon à savoir, TOHU participe à la réhabilitation du quartier où se trouve le Complexe environnemental de Saint-Michel, un site de carrières de pierre abandonnées et d'enfouissement de déchets en train de devenir **un immense parc urbain**. Un projet intéressant !

A6

La Maison-Théâtre

245, rue Ontario Est
Montréal, QC H2X 3Y6
M° Ligne 1 (verte), 2 (orange) et 4 (jaune)
station Berri-Uqam

La Maison-Théâtre se définit comme « ***une salle de spectacle pour les jeunes de tous les âges*** ». Amusant, n'est-ce pas ? Sympa aussi, car cela veut dire qu'on peut être jeune à tout âge ! Ici, les spectacles sont faits **pour toute la famille** et s'adressent aux enfants dès 4 ans. La salle permet aux plus petits spectateurs de voir la scène sans être gênés par les spectateurs assis devant eux.

Si tu es passionné par le théâtre, tu pourras peut-être profiter des rencontres et des discussions organisées en marge des spectacles. **Les parcours-spectateurs et les rencontres avec les artistes** sont ouverts aux élèves, mais aussi aux familles.

Les spectacles puisent non seulement dans le répertoire canadien d'hier et d'aujourd'hui, mais également dans les répertoires français, suisse et italien, avec beaucoup de fantaisie et d'inventivité. À noter que la Maison-Théâtre organise tous les ans **un festival du théâtre jeune public**.

le chiffre d'Itak

27 compagnies de théâtre pour les enfants et les jeunes se produisent dans la salle de la Maison-Théâtre.

Une belle expérience

En été, un atelier-spectacle permet aux enfants, âgés de 5 à 12 ans, de découvrir par eux-mêmes l'art de la marionnette et ses techniques.

A4

L'Illusion, théâtre de marionnettes

783, rue de Bienville
Montréal, QC H2J 1T9
M° Ligne 2 (orange) Mont Royal

Bienvenue dans le monde magique des marionnettes. Qu'elles soient à tige, à tringle ou à fils, les spectacles de cette compagnie mettent en valeur **toutes les techniques des marionnettes**. Depuis 1979, les marionnettistes de "L'Illusion" renouvellent **l'art de la marionnette en créant de nouveaux spectacles**. Certains s'inspirent de contes et d'histoires célèbres que tu reconnaîtras facilement car ce sont des contes européens.

Aller à "L'Illusion" est aussi l'occasion de tout savoir sur **les différentes techniques utilisées par les marionnettistes**. Ainsi, lorsque les personnages sont suspendus à des fils, on les manipule par le haut ; lorsqu'ils sont animés par des tringles ou des tiges, on les manipule par le bas. Enfin, les très belles marionnettes asiatiques sont éclairées de sorte qu'elles apparaissent en ombres chinoises.

le chiffre d'Itak

35 nouvelles pièces sont entrées au répertoire de "L'Illusion" depuis sa création. Entre 10 et 15 sont jouées chaque saison.

Une grande variété

Fruits, légumes, viandes, poissons... De nombreux producteurs sont présents au marché Jean-Talon, ce qui assure un approvisionnement généreux et varié au fil de la saison.

Marché Jean-Talon

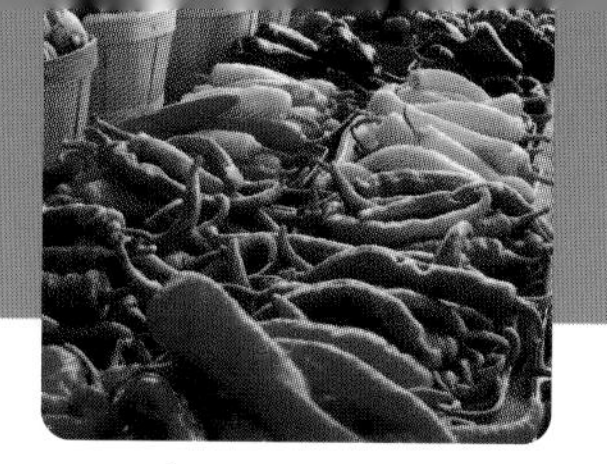

7070 Henri Julien
Montréal, QC H2S 2W1
M° Ligne 2 (orange) et 5 (bleue) Jean-Talon

Ce marché, inauguré en 1933 qui se trouve au cœur du quartier de la Petite Italie, est **l'un des plus grands marchés d'Amérique du Nord**. Ouvert tous les jours de 7 heures du matin à 18 ou 20 heures le soir, 17 heures le dimanche, c'est aujourd'hui un marché couvert qui déborde sur l'extérieur en été.

Au fil des allées, il y a mille choses à voir et à acheter. Fruits et légumes à foison dont canneberges (airelles ou cranberries) et blé d'Inde, produits bio, fleurs et plantes y compris des jeunes pieds de fleurs et de fines herbes à replanter, stands de restauration exotique ou traditionnelle, pâtisseries, jus de fruits et smoothies, chocolats, produits à base d'érable, charcuteries du Québec, viandes et fromages du terroir, poissons de Gaspésie et des Maritimes... c'est tout **un monde de parfums et de saveurs unique à Montréal**.

Et pour couronner le tout, les producteurs, qui sont plus d'une centaine pendant l'été, ont toujours le sourire et sont toujours prêts à te faire découvrir des produits typiquement québécois. Alors, n'hésite pas !

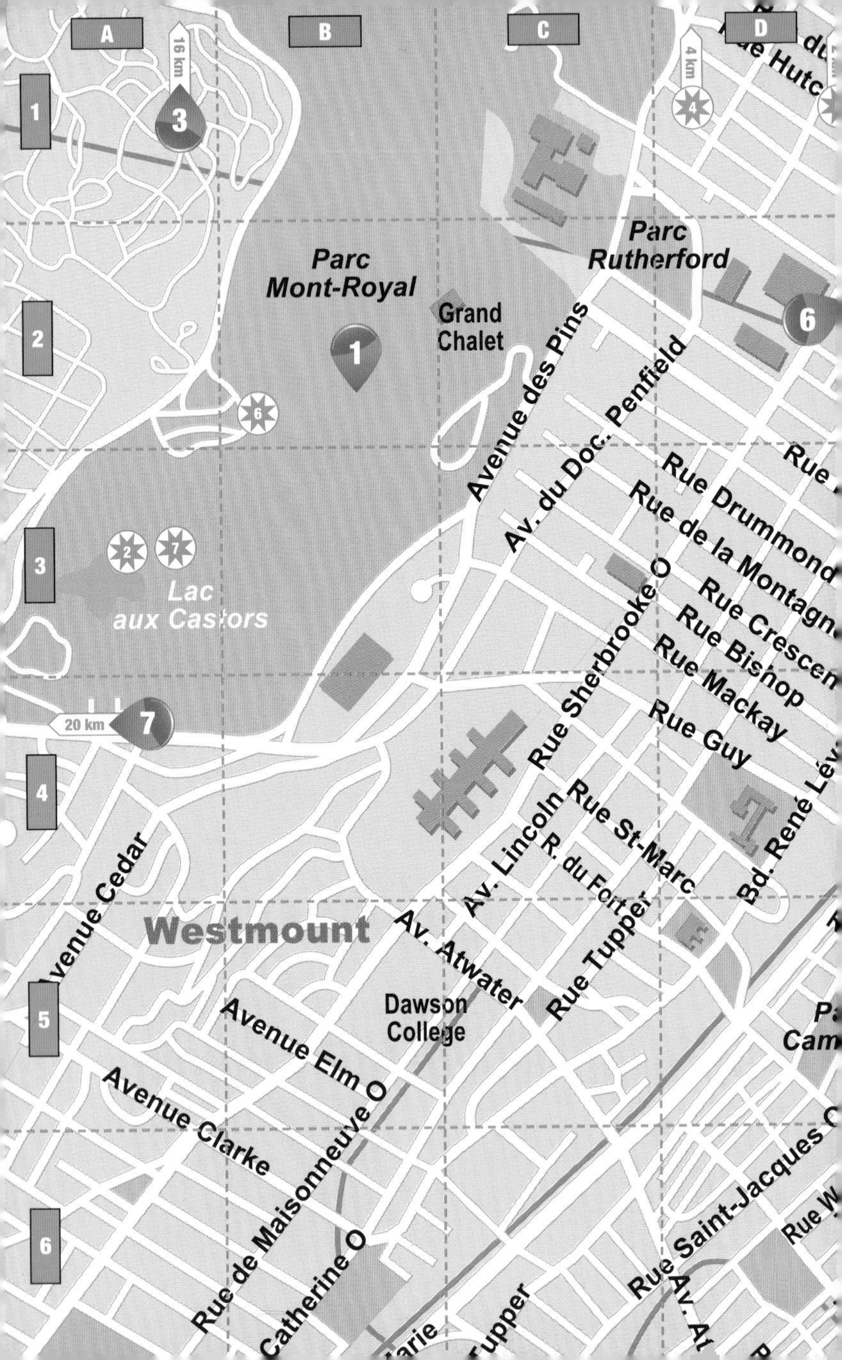
A
B
C
D
1
2
3
4
5
6
16 km
4 km
20 km
Parc Mont-Royal
Grand Chalet
Parc Rutherford
Lac aux Castors
Avenue des Pins
Av. du Doc. Penfield
Rue Drummond
Rue de la Montagn
Rue Crescen
Rue Bishop
Rue Mackay
Rue Guy
Rue Sherbrooke O
Av. Lincoln
Rue St-Marc
R. du Fort
Rue Tupper
Bd. René Lév
Avenue Cedar
Westmount
Av. Atwater
Dawson College
Avenue Elm O
Avenue Clarke
Rue de Maisonneuve O
Catherine O
Rue Saint-Jacques O
Rue Hutc
Rue W
Pa
Cam
Tupper

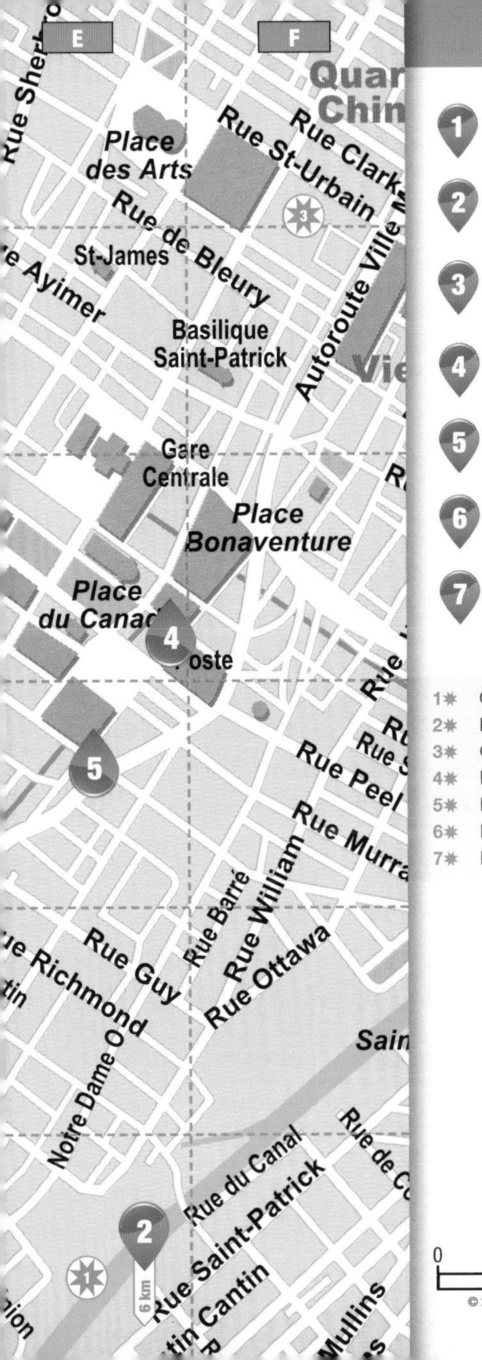

© 2011 - geoatlas.com

Coup de canon !

Certains disaient que la montagne était inaccessible et qu'il était donc inutile d'y faire un parc. Pour prouver le contraire, le colonel Stevenson y fit monter un canon à plusieurs reprises et donna l'ordre de tirer pour que tout le monde sache que le site était accessible !

B2

Parc du Mont Royal

1260, chemin Remembrance
Montréal, QC H3H 1A2
M° Ligne 1 (verte) Guy Concordia ou Peel

Comme le célèbre Central Park à New York, le parc du Mont Royal, situé au sommet de la montagne qui a donné son nom à la ville, a été dessiné par **Frederick Law Olmsted** et inauguré en 1876. Un belvédère, une croix illuminée, des monuments et un théâtre d'été sont ajoutés au fil du temps, tout comme le fameux **lac aux Castors** qui est donc un lac artificiel.

Aujourd'hui, même si le parc accueille des aménagements utiles à la ville, notamment des réservoirs et une tour de télécommunications, sa vocation est de **préserver un patrimoine naturel accessible à tout le monde**. C'est pour cela qu'on aménage par exemple de nouveaux sentiers, qu'on installe des passerelles, des escaliers, et surtout qu'on plante beaucoup de nouveaux arbres et fleurs. Été comme hiver, les familles montréalaises aiment y pratiquer des activités de plein air comme le pédalo, le ski de randonnée ou le patinage. Les installations les plus récentes sont la patinoire près du lac aux Castors, **l'aire de jeux "la Salamandre"** et le chemin de ceinture pour piétons et cyclistes.

La ✱ [B2] **Maison Smith** est le pôle d'accueil du parc où tu pourras trouver un centre d'information, des expositions et une boutique. C'est aussi le siège de l'association "Les amis de la Montagne" qui veille aux aménagements du site.

E6

Parc Angrignon

3400, boulevard des Trinitaires
Montréal, QC H4E 4J3
M° Ligne 1 (verte) Pie-IX

Le Parc Angrignon comblera les amoureux de la nature. En plus de **pratiquer de nombreuses activités en famille** à la bonne saison, tu pourras y admirer des iris qui prolifèrent autour des étangs. C'est aussi un site unique pour observer de nombreux oiseaux dont le célèbre **oriole de Baltimore**.

Autour d'un immense lac, tu pourras découvrir un parc boisé plein de sentiers de promenade dont une partie est éclairée le soir. On peut y circuler à vélo ou avec des rollers en ligne.

En été, **la ferme du parc** accueille les enfants qui peuvent y découvrir **la vie agricole et l'élevage des animaux**, notamment des moutons, des vaches, des poules, des canards et des lapins. Non loin de la ferme, tu trouveras **des aires de jeux et des aires de pique-nique** pour profiter du calme de la nature en pleine ville. En hiver, les familles de Montréal se retrouvent dans le parc pour faire des balades en raquettes, du patinage et du **ski de fond** sur l'une des trois pistes aménagées.

À retenir...

Dans la partie est du parc se trouvent les jardins communautaires, 110 potagers cultivés par les habitants du quartier.

Camp spatial

Unique au Québec, le Camp spatial du Cosmodôme, conçu pour les jeunes de 9 à 15 ans, est un séjour scientifique de 3 à 6 jours où les enfants suivent un entraînement d'apprenti astronaute.

Cosmodôme

2150, autoroute des Laurentides
Laval H7T 2T8
M° Ligne 2 (orange) Montmorency
puis bus 61 ou 70

Situé à Laval, ville voisine de Montréal, le Cosmodôme est un site unique entièrement dédié à l'espace et à l'exploration spatiale. Si tu aimes avoir la tête dans les étoiles, sache que de nombreuses expériences interactives inoubliables t'y attendent. Alors, en avant pour l'aventure !

L'exposition permanente du Cosmodôme va te plonger dans la grande histoire de la conquête spatiale au travers d'objets dont certains ont été offert par la NASA. Tu seras émerveillé par l'évolution des sciences et de la technologie. En plus d'admirer **une vraie roche lunaire**, tu pourras examiner un authentique scaphandre porté par les astronautes des missions Apollo, **explorer le Soleil, la Lune, la Terre et les autres planètes** du système solaire, simuler une communication par satellite, visionner un film sur la station spatiale internationale, participer à **des ateliers interactifs et ludiques sur différents sujets scientifiques**, construire ton propre cadran solaire ou encore apprendre à utiliser une lunette astronomique. Un programme fantastique !

N'oublie pas non plus de découvrir les très belles répliques de fusées et bien sûr de visiter **la réplique grandeur nature de la navette spatiale Endeavour**. Et ce ne sont que quelques-unes des surprises qui t'attendent pour une journée inoubliable !

E3

Atrium 1000

1000, rue de la Gauchetière Ouest,
Montréal, QC H3B 4W5
M° Ligne 2 (orange) Bonaventure

Si tu aimes le patinage, alors Montréal est la ville idéale pour toi. Il faut dire que **tous les parcs de la ville** ont une pièce d'eau qui, dès que le gel est important, devient une piste pour les amoureux de la glisse. Il y a aussi de "vraies" patinoires qui échappent aux aléas climatiques. Ainsi, la ✷ [A3] **patinoire du Mont Royal**, près du lac aux Castors, et celle du ✷ [D2] **Bassin Bonsecours**, dans le Vieux Port, sont surfacées tous les jours. En plus d'avoir une glace impeccable, elles sont éclairées le soir et animées d'un programme musical qui change chaque jour. Certaines patinoires sont réservées à la pratique du hockey, comme celle qui se forme sur le terrain de base-ball du parc Lalancette où des matchs sont improvisés selon les joueurs qui se présentent. L'une des plus belles patinoires de la ville, anciennement appelée "Amphithéâtre Bell", porte maintenant le nom d'**Atrium 1000**. Elle se trouve **dans le plus haut gratte-ciel de Montréal** et est ouverte toute l'année.

le chiffre d'Itak

On estime qu'il y aurait environ 275 patinoires et ronds de glace à Montréal. Un paradis pour les amateurs de glisse !

E4

Hockey au Centre Bell

1909, avenue des Canadiens de Montréal
Montréal, QC H4B 5G0
M° Ligne 2 (orange) Bonaventure

Montréal est le berceau du hockey sur glace moderne, un sport spectaculaire qui est une institution au Canada. Le premier match officiel y a été disputé le 3 mars 1875.

De décembre à mars, entre cinq et huit matchs se disputent chaque mois au Centre Bell, la salle de l'équipe locale, **les "Canadiens de Montréal"**. L'atmosphère les jours de match y est extraordinaire, et si tu as la chance de pouvoir trouver des billets devant le Centre Bell juste avant le coup d'envoi, c'est une opportunité à saisir.

L'équipe de Montréal, **la plus ancienne du monde**, existe depuis 1909. Tu pourras trouver dans toute la ville de nombreux produits dérivés à l'effigie de l'équipe des Canadiens dont le logo est composé d'un "C" rouge dans un "C" blanc avec un "H" au milieu. CHC, pour "Club de Hockey Canadien", le nom officiel de l'équipe.

le chiffre d'Itak

L'équipe de Montréal est la plus titrée de l'histoire. Elle a remporté à 24 reprises la célèbre Coupe Stanley, le trophée d'Amérique du Nord le plus ancien.

D2

Musée McCord d'histoire canadienne

690, rue Sherbrooke Ouest
Montréal, QC H3A 1E9
M° Ligne 1 (verte) McGill

Voici un musée qui permet de découvrir **l'histoire du Canada**. La grandeur du musée est à la hauteur de l'immensité de ce pays unique. Si tu t'intéresses par exemple aux Inuits, à la mode des siècles passés ou aux trappeurs, la visite va certainement te plaire.

La famille McCord était installée au Canada depuis 1760, et David Ross McCord (1880-1930) rêvait de « *jeter un pont entre toutes les cultures de son pays* ». À force de collectionner les objets, il a fini par faire un musée. **Les civilisations des Indiens** sont bien représentées, de même que **les sports, les jeux et les vêtements.**

Le musée est connu pour sa riche collection de photographies dont certaines sont très anciennes puisqu'elles remontent à 1840 ! Une mine d'or pour mieux **comprendre Montréal et le Canada au fil des siècles**.

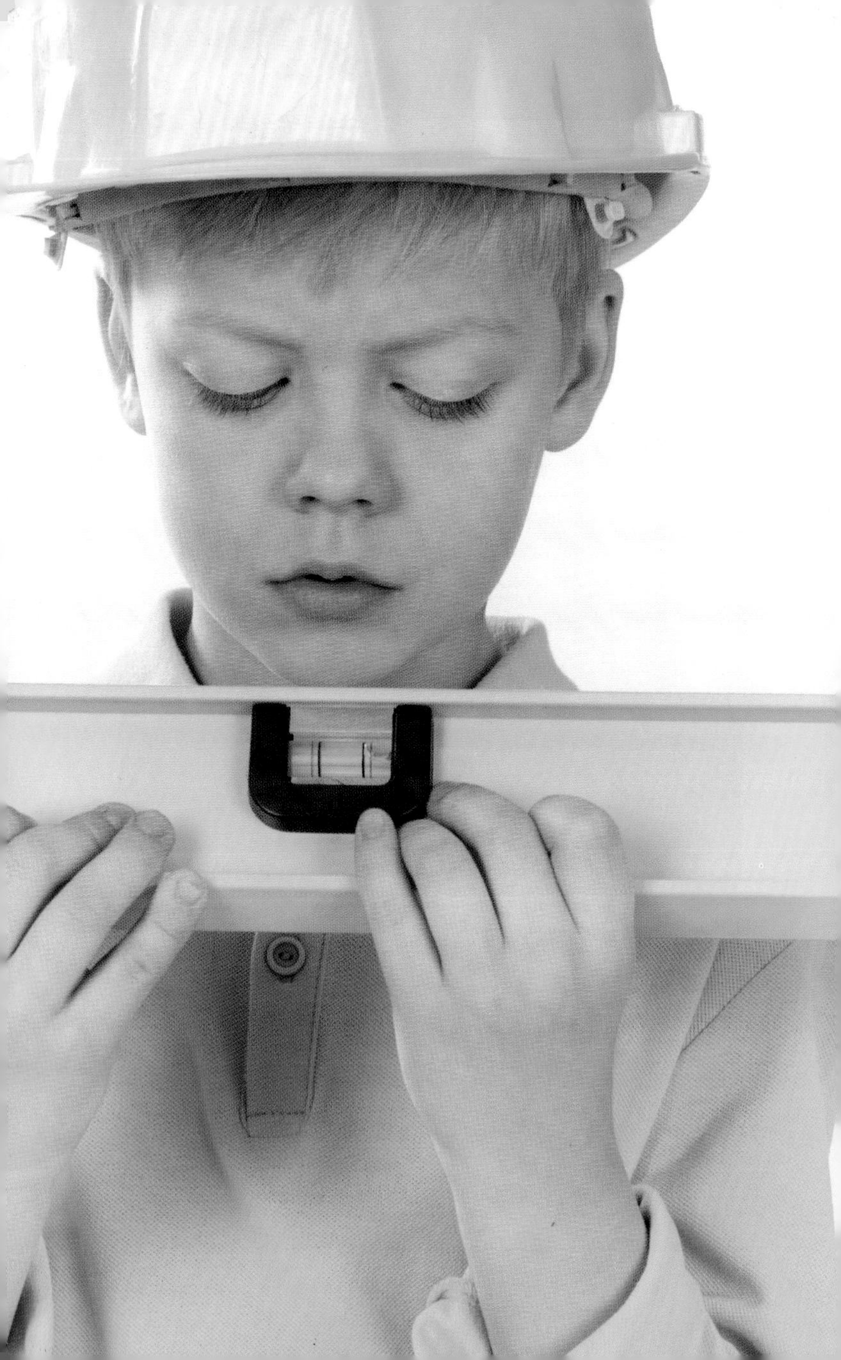

A4

Musée pour enfants de Laval

3805, boulevard Curé Labelle
Laval, QC H7P 0A5

Sais-tu quel métier tu feras plus tard ? Le musée pour enfants de Laval t'invite à **la découverte des métiers et des professions à travers des ateliers ludiques**. Si tu as entre 2 et 8 ans, tu vas pouvoir devenir lors de ta visite épicier, pompier ou fermier. Et il y a encore bien d'autres métiers à essayer, notamment policier, capitaine d'un bateau, vétérinaire ou présentateur météo. À toi de découvrir tout ce que l'on te propose ici. **Des uniformes, des accessoires, des machines et du matériel** sont à ta disposition pour te permettre de plonger dans l'action de toutes ces professions. L'occasion aussi de te rendre compte que tous les métiers sont intéressants, mais aussi parfois difficiles. Au final, cette journée est parfaite pour expérimenter le monde des grandes personnes et peut-être, pourquoi pas, pour découvrir le métier que tu feras lorsque tu seras grand ! À noter enfin que ce musée original propose aussi **des spectacles** très divertissants.

À retenir...
La pelle mécanique a un succès fou auprès des petits garçons. Il faut dire que c'est le seul endroit où ils peuvent faire cette expérience !

TON CARNET D'ADRESSES

87 **Atrium 1000**
1000, rue de la Gauchetière Ouest
Montréal, QC H3B 4W5
M° Ligne 2 (orange) Bonaventure

41 **Basilique Notre-Dame**
424, rue Saint-Sulpice
Montréal, QC H2Y 2V5
M° Ligne 2 (orange) Place d'Armes

63 **Biodôme**
4777, avenue Pierre de Coubertin
Montréal, QC H1V 1B3
M° Ligne 1 (verte) Viau

57 **Biosphère**
160, chemin du Tour de l'îsle
Montréal, QC H3C 4G8
M° Ligne 4 (jaune) Jean-Drapeau

53 ***Ça Roule Montréal***
27, rue de la Commune Est
Montréal, QC H2Y 1H9
M° Ligne 2 (orange) Place d'Armes

35 **Centre des Sciences**
Quai King-Edward
Montréal, QC H2Y 2E2
M° Ligne 2 (orange) Place d'Armes

43 **Château Ramezay**
280 Notre-Dame East
Montréal, H2Y 1C5
M° Ligne 2 (orange) Champ de Mars

85 **Cosmodôme**
2150, autoroute des Laurentides
Laval H7T 2T8
M° Ligne 2 (orange) Montmorency puis bus 61 ou 70

39 **Délices de l'érable (Les)**
84, rue St-Paul Est
Montréal, QC H2Y 1G6
M° Ligne 2 (orange) Champ-de-Mars ou Place d'Armes

51 **Fontaine de la Joute**
Place Jean-Paul Riopelle
Montréal, QC H2Z 1H2
M° Ligne 2 (orange) Place d'Armes

89 **Hockey au Centre Bell**
1909, avenue des Canadiens de Montréal
Montréal, QC H4B 5G0
M° Ligne 2 (orange) Bonaventure

69 **Insectarium**
4581, rue Sherbrooke Est
Montréal, QC H1X 2B2
M° Ligne 1 (verte) Pie-IX ou Viau

59 **Jardin botanique**
4101, rue Sherbrooke Est
Montréal, QC H1X 2B2
M° Ligne 1 (verte) Pie-IX

73 **La Maison-Théâtre**
245, rue Ontario Est
Montréal, QC H2X 3Y6
M° Ligne 1 (verte), 2 (orange) et 4 (jaune) station Berri-Uqam

75 **L'Illusion, théâtre de marionnettes**
783, rue de Bienville
Montréal, QC H2J 1T9
M° Ligne 2 (orange) Mont Royal

33 **Marché Bonsecours**
350, rue Saint Paul Est
Montréal, QC H2Y 1H2
M° Ligne 2 (orange) Champ de Mars

77 **Marché Jean-Talon**
7070 Henri Julien
Montréal, QC H2S 2W1
M° Ligne 2 (orange) et 5 (bleue) Jean-Talon

37 **Musée d'Archéologie et d'Histoire**
350, place Royale
Montréal, QC H2Y 2C9
M° Ligne 2 (orange) Place d'Armes

91 **Musée McCord d'histoire canadienne**
690, rue Sherbrooke Ouest
Montréal, QC H3A 1E9
M° Ligne 1 (verte) McGill

93 **Musée pour enfants de Laval**
3805, boulevard Curé Labelle
Laval, QC H7P 0A5

83 **Parc Angrignon**
3400, boulevard des Trinitaires
Montréal, QC H4E 4J3
M° Ligne 1 (verte) Pie-IX

81 **Parc du Mont Royal**
1260, chemin Remembrance
Montréal, QC H3H 1A2
M° Ligne 1 (verte) Guy Concordiaou Peel

67 **Parc "La Ronde"**
22, chemin Macdonald
Montréal, QC H3C 6A3
M° Ligne 4 (jaune) J. Drapeau puis bus 167
M° Ligne 1 (verte) Papineau puis bus 169

47 **Parc Safari**
280, Rang Roxham
Saint-Bernard de Lacolle, QC J0J 1V0

65 **Planétarium**
4801, avenue Pierre de Coubertin
Montréal, QC H1V 3V4
M° Ligne 1 (verte) Viau

45 **Saute-mouton**
47, rue de la Commune Ouest
Montréal, QC H2Y 2C6
M° Ligne 2 (orange) Place d'Armes

61 **Stade olympique**
4545, avenue Pierre de Coubertin
Montreal, QC H1V 3N7
M° Ligne 1 (verte) Pie-IX

71 **TOHU, Cité des arts du cirque**
2345, rue Jarry Est
Montréal, QC H1Z 4P3
M° Ligne 5 (bleue) D'Iberville puis bus 94

49 **Zoo de Grandby**
1050, boulevard David-Bouchard
Granby, QC J2G 5P3

Carte rouge p. 30

- Marché Bonsecours
- Centre des Sciences
- Musée d'Archéologie et d'Histoire
- Les Délices de l'érable
- Basilique Notre-Dame
- Château Ramezay
- Saute-mouton
- Parc Safari
- Zoo de Brandly
- Fontaine de la Joute
- *Ça Roule Montréal*

Carte verte p. 54

- Biosphère
- Jardin botanique
- Stade olympique
- Biodôme
- Planétarium
- Parc "La Ronde"
- Insectarium
- TOHU
- La Maison-Théâtre
- L'Illusion
- Marché Jean-Talon

Carte bleue p. 78

- Parc du Mont Royal
- Parc Angrignon
- Cosmodôme
- Atrium 1000
- Hockey au Centre Bell
- Musée McCord d'histoire canadienne
- Musée pour enfants de Laval

Crédit photos (par ordre d'apparition dans le guide)

Couverture : carlos - Fotolia.com (h. visuel tramé), keribevan - Fotolia.com (b.)
Dos couverture : Mikhail Olykainen - Fotolia.com (h.d.), Ritu Jethani - Fotolia.com (m.h.), nicolas kaczmarczyk - Fotolia.com (m.b.)
Plans de Montréal : 2011 - geoatlas.com
Carte des transports : Archives de la STM

keribevan - Fotolia.com : p. 1
fotobeam.de - Fotolia.com : p. 6 (h.g.)
imageegami - Fotolia.com : p. 6 (h.m.), p. 8 et p. 9 (grand visuel), p. 25 (h.g.)
yannik LABBE - Fotolia.com : p. 6 et p. 7 (vue Montréal), p. 26 (h.g.), p. 27 (m.d.), p. 53 (b.d.)
lomi - Fotolia.com : p. 6 (b. drapeau)
Yahia LOUKKAL - Fotolia.com : p. 7 (h.d.)
Seven Chang - Fotolia.com : p. 10 (h.g.)
Maridav - Fotolia.com : p. 10 (h.m.), p. 53 (h.)
milphoto - Fotolia.com : p. 10 (h.d.), p. 18 (h.g.)
Prod. Numérik - Fotolia.com : p. 11 (h.g.)
vlad_g - Fotolia.com : p. 11 (d.b.g.), p. 16 (h.d.), p. 18 (h.m. et b.g.)
cenz07 - Fotolia.com : p. 11 (d.b.d.)
nnv - Fotolia.com : p. 12 (h.g.)
air - Fotolia.com : p. 12 (h.m.)
Lotharingia - Fotolia.com : p. 12 (h.d.), p. 14 (h.m.)
Serghei Piletchi - Fotolia.com : p. 13 (d. drapeau)
anjansen626- Fotolia.com : p. 14 (h.g.)
citylights - Fotolia.com : p. 14 (h.d.)
Vera Kuttelvaserova - Fotolia.com : p. 15 (b.)
SADIA - Fotolia.com : p. 16 (h.m.)
justbeingcreative - Fotolia.com : p. 18 (h.d.)
lilufoto - Fotolia.com : p. 19 (h.g.)
JulienSirard - Fotolia.com : p. 20 (h.g.)
Maridav - Fotolia.com : p. 20 (h.m.)
jedphoto - Fotolia.com : p. 20 (h.d.)
Eugene Karpenko - Fotolia.com : p. 21 (d.)
Nouk - Fotolia.com : p. 22 (h.g.)
Julien BASTIDE - Fotolia.com : p. 22 (h.m.)
kameleonmedia - Fotolia.com : p. 22 (h.d.)
KaYann - Fotolia.com : p. 23 (d. image détourée)
kropic - Fotolia.com : p. 24 (h.g.)
Elenathewise - Fotolia.com : p. 24 (h.m.)
HD Connelly - Fotolia.com : p. 24 (h.d.)
Howard Sandler - Fotolia.com : p. 25 (m.d.)
Paul Binet - Fotolia.com : p. 25 (b. image détourée)
bagiuiani - Fotolia.com : p. 26 (h.m.)
Jérôme Ouvrard - Fotolia.com : p. 26 (h.d.)
Camille PUISAIS - Fotolia.com : p. 26 (b.g.)
karlumbriaco - Fotolia.com : p. 26 (b.d.)
fotobeam - Fotolia.com : p. 27 (h.), p. 40
CSM / Jean-François Lemire : p. 28 et p. 29 (grand visuel), p. 34, p. 35 (4 photos b.)
fotobeam.de - Fotolia.com : p. 32
zimmytws - Fotolia.com : p. 33 (h.)
carlos - Fotolia.com : p. 33 (b.)
CSM / Mattera : p. 35 (h.)
Musée d'Archéologie et d'Histoire / Michel Julien : p. 36, p. 37 (b.d.)
Musée d'Archéologie et d'Histoire / Normand Rajotte : p. 37 (h.)
Musée d'Archéologie et d'Histoire / Jacques Nadeau : p. 37 (b.g.)
Les Délices de l'érable : p. 38 et p. 39 (5 photos)
Guy Verville - Fotolia.com : p. 41 (h.)
Dario Ricardo - Fotolia.com : p. 41 (b.)
Château de Ramezay : p. 42, p. 43 (2 photos b.)
Château de Ramezay / Alexandre Genest : p. 43 (h.)
Saute-Mouton / Picture Green : p. 44 et p. 45 (5 photos)
JitHon - Fotolia.com : p. 46
bertys30 - Fotolia.com : p. 47 (h.)
Alonbou - Fotolia.com : p. 47 (b.g.)
Megan Lorenz - Fotolia.com : p. 47 (b.m.)
Johan Swanpoel - Fotolia.com : p. 47 (b.d.)
Natalia Danecker - Fotolia.com : p. 48
Jj - Fotolia.com : p. 49 (h.)
bob bartek - Fotolia.com : p. 49 (b.g.)
artush - Fotolia.com : p. 49 (b.d.)
mario beauregard - Fotolia.com : p. 52
PackShot - Fotolia.com : p. 53 (b.g.), p. 58
Yanive Nizard Lafr - Fotolia.com : p. 56
Ritu Jethani - Fotolia.com : p. 57 (h.)
Nibor - Fotolia.com : p. 57 (b.)
chazelas - Fotolia.com : p. 59 (h.)
Lotharingia - Fotolia.com : p. 59 (3 photos b.)
Christopher Howey - Fotolia.com : p. 60
Gary - Fotolia.com : p. 61 (h.)
jovannig - Fotolia.com : p. 61 (b.g.)
onepony - Fotolia.com : p. 61 (b.d.)
Biodôme / Ken Fallu : p. 62
Biodôme : p. 63 (h. et m. g.)
Biodôme / Sean O'Neill : p. 63 (m.d.)
Biodôme / Michel Tremblay : p. 63 (b.)
Planétarium de Montréal / Louis-Étienne Doré : p. 64, p. 65 (b.)
kazeyan - Fotolia.com : p. 65 (h.)
charlesknox - Fotolia.com : p. 66
Curious George - Fotolia.com : p. 67 (h.)
David Acosta Allely - Fotolia.com : p. 67 (b.g.)
wrangler - Fotolia.com : p. 67 (b.d.)
Kati Molin - Fotolia.com : p. 68
Dominique VERNIER - Fotolia.com : p. 69 (h.)
outdoorsman - Fotolia.com : p. 69 (b.g.)
visual620 - Fotolia.com : p. 69 (b.d.)
Zina Seletskaya - Fotolia.com : p. 70
Maison-Théâtre / Rolline Laporte : p. 72
Maison-Théâtre / Yves St Jean : p. 73 (h.)
Maison-Théâtre / François Desaulniers : p. 73 (m.g. et b.d.)
Maison-Théâtre / Marc-Antoine Duhaime : p. 73 (b.g.)
alessandro0770 - Fotolia.com : p. 74
AGphotographer - Fotolia.com : p. 75 (h.)
Vladislav Gajic - Fotolia.com : p. 75 (b.)
Daisy Daisy - Fotolia.com : p. 76
Jérôme Ouvrard - Fotolia.com : p. 80
Seven Chang - Fotolia.com : p. 81 (h.)
EasyBalance - Fotolia.com : p. 81 (b.)
Riverwalker - Fotolia.com : p. 82
Michael Mill - Fotolia.com : p. 83 (b.g.)
babsi_w - Fotolia.com : p. 83 (b.d.)
Cosmodôme : p. 84 et p. 85 (3 visuels)
lilufoto - Fotolia.com : p. 86
Maridav - Fotolia.com : p. 87 (h.)
Tomfry - Fotolia.com : p. 87 (b.)
Musée McCord / Guy Labissonniere : p. 90 et p. 91 (3 visuels)
pressmaster - Fotolia.com : p. 92
Claudia Paulussen - Fotolia.com : p. 93 (h.)
michaeljung - Fotolia.com : p. 93 (b.)

Les autres photographies et illustrations de ce guide sont la propriété exclusive d'Itak éditions.
Toute erreur sur une dénomination et/ou oubli d'un crédit photographique sont indépendants de notre volonté et seront corrigés lors de la mise à jour de l'ouvrage.